Cinema e política

PAULO EMÍLIO SALES GOMES nasceu em São Paulo, em 1916. Adolescente ainda já se relacionava com a Juventude Comunista, e a militância precoce foi castigada com a prisão, no âmbito da repressão desencadeada com o fracasso da revolução comunista de novembro de 1935. Fugiu do presídio em 1937, exilando-se em Paris. Nos dois anos que passou na França, Paulo Emílio teve duas revelações: a descoberta do cinema e o trauma decorrente dos processos de Moscou. Deixou então de ser comunista para jamais tornar-se anticomunista. A vocação dele era a de um intelectual de esquerda independente, numa época em que essa condição era improvável.

De volta ao Brasil na véspera da Segunda Guerra Mundial, seguiu a Faculdade de Filosofia, Ciências e Letras da USP, onde, mais velho, exercia natural liderança entre os colegas, tendo sido orador da turma. Na mesma época participou da fundação da revista *Clima*, com seus companheiros de geração. Aí também era ele quem imprimia a tonalidade política da publicação, empenhada no combate à ditadura do Estado Novo.

Com a queda do regime e a abertura democrática, Paulo Emílio dedicou-se às articulações para a fundação de um partido de cunho socialista e redigiu o Manifesto da União Democrática Socialista, uma convocação das forças de centro-esquerda. Esse esforço não prosperou, e o grupo socialista encaminhou-se para a Esquerda Democrática, que tampouco vingou como partido. Dessa experiência emergiu a União Democrática Nacional (UDN), de cunho conservador reformista. A profunda frustração afastou Paulo Emílio para sempre da política partidária. Ele dizia então que não tinha jeito para a coisa.

De retorno a Paris para estudar cinema, passou a frequentar o grupo de Henri Langlois, que dirigia a Cinemateca Francesa, e aí encontrou inspiração para criar instituição similar em São Paulo, a Cinemateca Brasileira. Tornava-se um "arquivista de sombras". Como crítico e historiador do cinema, Paulo

Emílio não deixou de ser um escritor, consumando uma vocação apontada por Oswald de Andrade, em 1935. E no cinema nunca se interessou pelos aspectos formais das obras; preferia antes identificar nos filmes os sinais de uma presença social. Embora tenha abandonado a política partidária, Paulo Emílio nunca ignorou a perspectiva política do cinema. É disso que trata esta antologia.

No final dos anos 1950, o crítico ilustrado na Europa publicava ensaios no Suplemento Literário do jornal *O Estado de S. Paulo*. A reflexão de cinema não havia alcançado tal envergadura entre nós. E Paulo Emílio consolidou a reputação do cinema entre as artes que mereciam atenção da inteligência nacional. Sua conversão ao cinema brasileiro se deu após longa jornada de aprendizado político, nas lutas pela descolonização do mercado cinematográfico, ocupado pelo filme estrangeiro. Abraçar o cinema brasileiro em todas as suas dimensões significava deixar a área de conforto intelectual para mergulhar na mediocridade, com a qual temos "vínculos profundos".

Por intermédio da batalha pelo justo lugar do cinema brasileiro na cultura nacional, Paulo Emílio projetava uma interpretação do país que transcende os limites do seu objeto.

"Não somos europeus nem americanos-do-norte, mas destituídos de cultura original, nada nos é estrangeiro, pois tudo o é. A penosa construção de nós mesmos se desenvolve na dialética rarefeita entre o não-ser e o ser-outro. O filme brasileiro participa do mecanismo e o altera através de nossa incompetência criativa em copiar."

A nota irônica se infiltra na brilhante fórmula para dar esperança de superação do anátema, em vista de "nossa incompetência criativa em copiar". Nos filmes brasileiros, Paulo Emílio observou que o interesse da obra advinha invariavelmente das falhas de imitação do modelo estrangeiro; convertia assim em potência o que era imperícia.

A perda da "ótica política" levou Paulo Emílio a subestimar os efeitos do Golpe de 1964, assim que foi deflagrado: "nada de fundamental estava em jogo". Posteriormente, irá contrapor um conceito original — o de "superversão" — ao surrado mantra reacionário, o da subversão.

Em 1973, a vida subjugada por uma segunda ditadura minava as resistências do corpo político. No auge da repressão, no editorial de lançamento da revista *Argumento*, Paulo Emílio proclamava que "sempre haverá um papel a ser cumprido pelo intelectual que resolva sair da perplexidade e se recuse a cair no desespero". Sem ilusões, propunha "um esforço de lucidez". Arrematava com uma de suas frases mais emblemáticas: "Contra fato há argumento".

No final da vida, estimulado por uma entrevistadora, revelava uma profunda amargura ao rever a trajetória política de sua geração. Inconformado com os rumos da história, apelou: "Tem que se fazer alguma coisa". Faleceu em 1977.

CARLOS AUGUSTO CALIL nasceu em São Paulo, em 1951. É professor universitário, tendo dirigido instituições culturais. Publicou, como organizador, mais de trinta livros dedicados a autores como Paulo Emílio Sales Gomes, Blaise Cendrars, Alexandre Eulalio, Glauber Rocha, Leon Hirszman, Joaquim Pedro de Andrade, Federico Fellini, Paulo Prado, Vinicius de Moraes e Mário de Andrade.

Paulo Emílio Sales Gomes
Cinema e política

Seleção de
CARLOS AUGUSTO CALIL

COMPANHIA DAS LETRAS

Copyright da seleção © 2021 by Penguin-Companhia das Letras

Grafia atualizada segundo o Acordo Ortográfico da Língua
Portuguesa de 1990, que entrou em vigor no Brasil em 2009.

Penguin and the associated logo and trade dress are registered
and/or unregistered trademarks of Penguin Books Limited and/or
Penguin Group (USA) Inc. Used with permission.

Published by Companhia das Letras in association
with Penguin Group (USA) Inc.

PREPARAÇÃO
Camila Vargas Boldrini

REVISÃO
Ana Maria Barbosa
Angela das Neves

Dados Internacionais de Catalogação na Publicação (CIP)
(Câmara Brasileira do Livro, SP, Brasil)

Gomes, Paulo Emílio Sales, 1916-1977.
   Cinema e política / Paulo Emílio Sales Gomes . —
1ª ed. — São Paulo: Penguin Classics Companhia das
Letras, 2021.

   ISBN 978-85-8285-134-0

   1. Cinema 2. Ciências políticas I. Título

21-56189   CDD-791.4375

Índice para catálogo sistemático:
1. Cinema : Apreciação crítica 791.4375

Aline Graziele Benitez — Bibliotecária — CRB-1/3129

[2021]
Todos os direitos desta edição reservados à
EDITORA SCHWARCZ S.A.
Rua Bandeira Paulista, 702, cj. 32
04532-002 — São Paulo — SP
Telefone: (11) 3707-3500
www.penguincompanhia.com.br
www.blogdacompanhia.com.br
www.companhiadasletras.com.br

Sumário

Introdução bastante pessoal	11
O cineasta Maiakóvski	18
Revolução, cinema e amor	25
Potemkin e *Outubro*	32
Ideologia de *Metrópolis*	41
O moleque Ricardo e a Aliança Nacional Libertadora	47
Bilhetinho a Paulo Emílio, por Oswald de Andrade	50
Um discípulo de Oswald em 1935	54
Anarquismo e cinema	63
Renoir e a Frente Popular	72
Manifesto da União Democrática Socialista (UDS)	77
O intelectual e a política na redemocratização de 1945 (Entrevista a Maria Victoria Benevides)	91
O tempo do pessimismo	103
Carl Foreman e o medo	108
Go home, Tarzan!	113
A nossa desimportância	116
A chinesa	118
Amigos e amigos	120
Cinema: Trajetória no subdesenvolvimento	123
Contra fato há argumento	143
Fontes dos textos	145

Cinema e política

Introdução bastante pessoal

A Rússia foi o país que mais me interessou e durante mais tempo. O motivo era político, mas eu me pergunto se esta expressão é a mais adequada para resumir o estado de espírito dos jovens brasileiros que abordavam os problemas russos nos anos imediatamente anteriores e posteriores a 1930. Durante os últimos cento e tantos anos não houve país que suscitasse, como a Rússia, tanta paixão. Para encontrar algo de semelhante é preciso reportar aos fins do século XVIII e início do XIX, à França nova e modelada pela Revolução. Os estímulos afetivos provocados pela transformação da Rússia em União Soviética ultrapassaram amplamente o que se designa por política. Ou melhor, a política naquele tempo aparecia para muitos como a atividade humana mais completa que se pudesse imaginar, envolvendo todas as preocupações, das morais às estéticas. Era difícil encontrar pessoas com o sentimento de estarem sacrificando à política o desenvolvimento destas ou daquelas facetas de sua personalidade. O comunismo oferecia uma concepção do mundo e normas de comportamento. E diferentemente de hoje, quando existem vários países comunistas que eventualmente se desentendem, o comunismo de então era encarnado exclusivamente pela União Soviética. Mesmo os que não reconheciam, como por exemplo os trotskistas, seus ideais revolucionários no que se passava naquele país, continuavam a colocar suas esperanças maiores na Rússia, cuja modificação prognosticavam.

A evocação desse tempo e estado de espírito já bastante longínquos surgiu na minha memória a propósito da série de filmes russos que serão projetados proximamente no quadro das manifestações cinematográficas organizadas pela Fundação Cinemateca Brasileira na VI Bienal. Pensar novamente na União Soviética de uma maneira mais ou menos sistematizada, e agora, que já não nutro o menor interesse por política, de um ângulo totalmente diverso dos anteriores, isto é, traçar a curva da evolução russa durante o século XX através da história artística de seu cinema, está me parecendo uma experiência intelectual extremamente estimulante.

Ainda hoje encontro muita gente, mesmo a desinteressada pela política, incapaz de julgar objetivamente tudo o que seja de ordem russa, inclusive o cinema, o que me leva a refletir sobre as razões de eu me sentir tão à vontade, predisposto e interessado para ver, rever, julgar e discutir os cinquenta programas russos que a Bienal vai apresentar. Não é só porque me interesso pela vida sobretudo em função do cinema.

Como sói acontecer com outros amores, penso que saí enriquecido do comunismo, isto é, da minha paixão pela Rússia. De qualquer maneira, estou convencido de que me foi dado escapar ao perigo maior, o de abandonar o comunismo para atolar no anticomunismo. Atualmente, as coisas se passam de forma bastante diversa, mas, no meu tempo de moço, deixar de ser comunista era problema grave. Este artigo não oferece oportunidade para uma análise prolongada do assunto. Indiquemos apenas que para uma pessoa embaralhada na condição inconfortável e dramática de ex-comunista a solução mais fácil, às vezes extremamente tentadora, era o anticomunismo. A natureza exata deste último não se delineava imediata e claramente no espírito do interessado. O aspecto de defesa de valores é uma

INTRODUÇÃO BASTANTE PESSOAL

máscara que o anticomunismo abandona quando encontra condições favoráveis para manifestar sua plena virulência esterilizadora. Na cultura e na educação, os dois únicos terrenos onde a ação me interessa, não vejo inimigo mais perigoso do que o assim chamado anticomunismo.

Liberto há muito tempo das vendas do comunismo e imune para sempre do vírus desintegrador do anticomunismo — condições necessárias para a razoável e perplexa sabedoria que vislumbro aos 45 anos de idade —, preparo-me, pois, gostosamente e com intensa curiosidade, para a retrospectiva do cinema russo e soviético que vai se iniciar nos primeiros dias de novembro.

Procurando, nas vésperas do festival soviético, atualizar minha informação e reflexão, mais uma vez constato como é pobre e nada estimulante uma apreciação de filmes limitada ao campo cinematográfico. As virtualidades e as virtudes das obras fenecem quando examinadas no compartimento estanque da especificidade. Os que se condenam ao cinema o compreendem pouco e o servem mal. A justificativa de alguém se dedicar ao cinema, inclusive no plano da criação, reside na obrigação de permanecer aberto e disponível ao essencial, isto é, a tudo que lhe é exterior. Nos momentos decisivos não tem sido dentro de si próprio que o cinema tem encontrado a força motora. Cada vez que o cinema tem sido capaz de responder a um desafio, isto é, em cada um de seus momentos de renovada vitalidade, o estímulo veio de fora, de outras atividades e preocupações. O cineasta ou o crítico de cinema com formação estritamente cinematográfica tem um papel cada vez mais reduzido. A cultura propriamente cinematográfica tem função cada vez mais ampla, porém em outro terreno, o público, pois aqui ela significa acréscimo e enriquecimento e não corre o risco mortal da autossatisfação.

Apreciar, pois, os filmes soviéticos que serão apresentados no Ibirapuera apenas como ilustrações deste ou daquele momento da história da arte e da linguagem cinematográfica num dado país me parece, além de inútil, enfadonho. Inútil porque, à força de querer tudo explicar num esquema geral histórico que se torna dia a dia mais vulnerável, esbarraríamos com sucessivas dificuldades que, acumuladas, tornariam incompreensível o conjunto dos cinquenta programas que serão apresentados. Os motivos por que a operação seria enfadonha são óbvios e decorrem do que ficou dito. Com efeito, a massa de ideias e fatos, transmitida mais ou menos tal e qual durante os últimos vinte anos, com o rótulo de história ou cultura cinematográficas, está cansada e tornou-se cansativa.

Sem pretender renovar um assunto diante do qual a incompetência dos estudiosos brasileiros é evidente, eu penso que o comportamento mais útil que poderíamos assumir, para nós próprios e os que nos leem, seria exigirmos dos filmes, mesmo os mais velhos, a sua modernidade, isto é, aquilo que torna possível a comunicação imediata entre uma obra antiga e o espectador atual sem maiores considerações pela data de produção. Isso por um lado. Por outro, num campo de evocação histórica desviada da linha estritamente cinematográfica, poderíamos nos ocupar com proveito em verificar, no caso russo, o axioma em elaboração segundo o qual o bom cinema é sempre o corolário de uma situação social onde se encontram muito vivos os movimentos de ideias, a criação e o gosto pelo teatro e pela literatura.

Torna-se incompreensível o que aconteceu com o cinema na União Soviética se não tivermos presente a fantástica vitalidade artística desse país durante as duas primeiras décadas do século indiferentemente do regime então reinante. Num dos períodos mais negros da reação tsarista, em 1910, a Rússia possuía o melhor teatro do mundo, polarizado em torno de Stanislavski e Meyerhold, sem falar do caso particular de Diaghilev, um dos principais veículos de explosão modernista na Paris de antes da Primeira Guerra Mundial. Em 1917, o ano da Revolução,

INTRODUÇÃO BASTANTE PESSOAL

talvez não existisse em nenhuma outra parte uma tríade tão representativa da moderna poesia como Blok, Iessiênin e Maiakóvski. O futurismo russo era muito mais vibrante do que o italiano, e o seu construtivismo tão ordenador quanto o cubismo. São Petersburgo foi, ao lado de Paris e Berlim, um dos três grandes centros artísticos do mundo durante os primeiros vinte anos do século. Só encontravam rival na prodigiosa e heterogênea América do Norte, conforme tornou-se evidente algum tempo depois.

Durante esse tempo, muito do que houve na Rússia em matéria de cinema se assemelha bastante ao que ocorreu em outros países. Interferências francesas, italianas, dinamarquesas, americanas e o despontar aqui e ali de uma manifestação original. Como em toda parte, a popularidade de Max Linder ou Asta Nielsen foi imensa e surgiram astros e estrelas, como Ivan Mozjukhin ou Natalia Lissenko, que com eles rivalizaram. Como sempre acontece, o cinema corrente tinha objetivos estritamente comerciais, o que, como é de regra, não impede necessariamente a eclosão da qualidade. *Stenka Rasin,* realizado em 1908, e *Padre Sérgio,* distribuído dez anos mais tarde, ambos incluídos na retrospectiva da Bienal, provavelmente representam bem, respectivamente, o período primitivo e a fase mais evoluída do cinema tsarista habitual. O que cabe, todavia, acentuar é que, apesar de existir uma perfeita continuidade entre a efervescência vanguardista na Rússia imperial imediatamente anterior à guerra e a que se processou nos primeiros anos posteriores à Revolução, tem-se, em matéria de cinema, a impressão de ruptura quando se assiste *Padre Sérgio* e em seguida *A greve,* o primeiro filme de Eisenstein, também incluído entre as exibições do Ibirapuera. E, no entanto, é só abandonarmos o terreno cinematográfico para vermos que as raízes estéticas de *A greve* se prolongam até a Rússia tsarista da revolução teatral de Meyerhold e da agitação futurista de Maiakóvski.

Aliás, depois de apontarmos similitudes entre o cinema na Rússia e em outros países durante os anos 1910 e 1920, importa chamar a atenção para uma diferença profunda que poderá ser resumida da maneira seguinte. Ao passo que em todo o mundo cinematográfico *Caligari* foi visto depois de Griffith, isto é, a *arte* foi posterior à *linguagem,* na Rússia sucedeu o inverso. Só que no caso russo o *Caligari* em questão não era o próprio, que ainda não fora produzido, mas a fita O *retrato de Dorian Gray,* realizada em 1915 por Meyerhold. A novela de Wilde ofereceu ao encenador a ocasião de aplicar ao filme muitas de suas ideias teatrais e o resultado de suas reflexões sobre o cinema, atividade que durante algum tempo desprezara, mas pela qual se interessou depois de conversas que manteve em Paris, sobre o assunto, com Apollinaire e D'Annunzio. O *retrato de Dorian Gray* foi um jogo de formas negras e brancas bem contrastadas, com o papel de Dorian confiado a uma atriz, os personagens evoluindo numa atmosfera de luxo ambíguo, e o todo impregnado de horror sutil. O papel desse filme na Rússia, em 1915, foi o mesmo desempenhado pelo *Caligari* em 1920 no Ocidente europeu e na América: convencer definitivamente as elites de que o cinema era uma das belas-artes.[1] O *retrato de Dorian Gray* foi, segundo tudo indica, o filme mais notável produzido na Rússia tsarista, sendo útil sublinhar a circunstância da obra cinematográfica que ocupa essa posição de primeiríssimo plano ser precisamente a que derivou de maneira mais direta da efervescência teatral então em curso.

1 Não sei se ainda existe uma cópia de O retrato de Dorian Gray de Meyerhold. As impressões aqui resumidas são de contemporâneos do filme e se encontram transcritas no livro de Jay Leyda, Kino: A History of the Russian and Soviet Film. Polêmica Meyerhold versus Stanislavski, futurismo de Maiakóvski e Lênin: eis três chaves importantes para o que começou a acontecer cinematograficamente na União Soviética ao redor de 1920. (N. A.)

INTRODUÇÃO BASTANTE PESSOAL

Talvez seja útil neste primeiro artigo a propósito da próxima retrospectiva do cinema russo ou soviético aludirmos a mais um ponto que terá seu relevo em futuras considerações. Em artigo publicado nesta coluna na última semana,* Gustavo Dahl nos informou que nas mesas-redondas de Santa Margherita Ligure dedicadas ao cinema brasileiro se deu uma importância grande ao fato de o então presidente da República assistir a um filme por dia. Se um fato dessa ordem tivesse significação, poderíamos lembrar que o tsar Nicolau ii também era *fã*. Na correspondência que enviava do quartel-general para a tsarina, durante a guerra, a todo momento refere-se a filmes. Há uma carta particularmente saborosa, escrita em 7 de dezembro de 1916, isto é, durante o inverno que seria fatal para a dinastia dos Románov. O tsar tinha acabado de ver a última parte de um filme em série, assistido durante semanas e descrito meticulosamente para a tsarina: *Sabemos afinal quem é a mão misteriosa. É o primo e noivo de Elaine. Você imaginaria uma coisa dessas? Isso causou tremenda sensação na sala!* Acho pouco provável que a paixão cinematográfica do tsar tenha tido importância para o destino do cinema na Rússia. Mas acontece que na mesma ocasião um outro russo, Lênin, frequentava assiduamente os cinemas de Zurique onde se encontrava exilado. Ele, porém, não era *fã*. Ia ao cinema por causa dos jornais cinematográficos e dos documentários. O que procurava nos filmes de atualidades era interpretar através da aparência o espírito dos soldados e conhecer a fisionomia de seus inimigos, os governantes, generais e diplomatas de todos os países em guerra.

1961

---

* Coluna de Cinema do Suplemento Literário do jornal O *Estado de S. Paulo*, dirigido por Décio de Almeida Prado, cujo titular era Paulo Emílio Sales Gomes. (N. O.)

O cineasta Maiakóvski

Quando os bolchevistas tomaram o poder em 1917, a maioria da intelligentsia não acreditou na permanência do regime. A segurança de Lênin e seus companheiros não era, aliás, total. Os memorialistas, inclusive Liev Trótski, contam do entusiasmo do chefe da Revolução quando o regime soviético pôde contar um dia de existência a mais do que a Comuna de Paris de 1871. Essa incerteza esclarece por que quase ninguém respondeu ao apelo aos escritores e artistas, lançado pelo novo governo um mês após a sua constituição. Apenas cinco pessoas compareceram ao encontro marcado. Eram aquelas que haviam imediatamente reconhecido como sua a revolução triunfante — os poetas Maiakóvski, Blok e Ivnev, o diretor de teatro Meyerhold e Nathan Altman, pintor. Apesar de não diretamente representado, o cinema não estava ausente. O interesse de Maiakóvski pelo filme, tornado público em 1913 através de um artigo célebre, tornara-se cada vez mais pronunciado com o passar dos anos.

Eu me pergunto se já foi avaliado com justiça o papel de Maiakóvski na história do cinema russo. Inclino-me cada vez mais a achar que não. Aproveitando a ocasião do Festival Retrospectivo atualmente em curso na Bienal para ler a mais recente contribuição aos estudos cinematográficos russos e soviéticos,[1] o problema de Maiakóvski retornou vivamente ao meu espírito. É sabido que os historiadores soviéticos de cinema não lhe dão maior importância nesse terreno, mas há uma motivação clara para esse comportamento. Lebedev e seus colegas da Academia Soviética de Estudos Cinematográficos assumem, para julgar os acontecimentos artísticos dos primeiros anos da Revolução, uma posição idêntica à dos críticos e historiadores da literatura ou das artes plásticas, isto é, condenam quase todas as manifestações de vanguarda da época, talhadas em bloco como desvios formalistas. Essa posição exprime a ideologia oficial stalinista em matéria de arte tal como foi formulada por Jdanov, seu principal porta-voz. Os escritos e combates de Maiakóvski em matéria cinematográfica, antes e depois de ser instaurado o poder soviético, estão impregnados de futurismo, tendência das mais combatidas pelo pensamento governamental que se estruturou aproximadamente a partir de 1930 e que atingiu o máximo rigor logo após o término da Segunda Guerra Mundial. Os principais livros soviéticos sobre cinema datam precisamente desse último período, tão crítico para a vida intelectual russa, e não é de espantar que a atividade literária de Maiakóvski sobre cinema haja sido menosprezada. Tratava-se de assunto delicado e eventualmente perigoso, a respeito do qual a ideologia reinante desaconselhava formulações matizadas.

Lendo-se hoje alguns artigos de Maiakóvski sobre cinema, cuja publicação foi iniciada antes da Primeira Guerra Mundial, é impossível não sentir como suas ideias impregnaram o jovem cinema soviético. É necessário acrescentar que por enquanto apenas alguns escritos foram traduzidos,

1 Jay Leyda, *Kino: A History of the Russian and Soviet Film.* Nova York: Macmillan, 1960. (N. A.)

quase sempre de maneira fragmentária, nas línguas acessíveis aos estudiosos do Ocidente. Por isso não aparece o nome de Maiakóvski nos livros italianos ou franceses dedicados à história das teorias cinematográficas. Quando tudo o que escreveu sobre cinema for reunido em volume[2] e traduzido, Maiakóvski terá certamente para nós maior importância do que os respeitáveis, mas pouco estimulantes, Arnheim ou Balázs. Entre os múltiplos méritos de Jay Leyda está a inclusão no seu livro do texto integral do artigo de Maiakóvski, "Teatro, cinema, futurismo", publicado no *Kino-Jornal* de 27 de julho de 1913.

Uma das premonições agudas do jovem Maiakóvski foi perceber o sentido de polêmica antiteatral do futuro cinema russo. O poeta reconhecia direito de vida às artes plásticas e à poesia, as primeiras porque aceitavam a *ditadura do olho*, a outra na medida em que se encontrava na forma e fonética da palavra. O teatro, porém, lhe parecia *uma crosta superficial sobre todos os aspectos da arte*. Negando ao teatro do seu tempo[3] uma existência autossuficiente como arte e apontando o filme como seu sucessor, Maiakóvski introduz um dos temas centrais do movimento de ideias que terá curso durante a década de 1920, notadamente na União Soviética, França e Alemanha, com o objetivo de constituir uma estética cinematográfica. Tudo faz crer que Maiakóvski, diferentemente de Apollinaire, cujo pensamento cinematográfico resumiu-se a visões esporádicas de iluminado, tendeu sempre para um sistema bastante organizado de ideias a respeito do filme. Os as-

2 Aparentemente, nos dois volumes intitulados *Teatro e cinema*, publicados em Moscou em 1954, foram agrupados apenas os principais roteiros cinematográficos. (N. A.)

3 Ao longo da história do teatro, Maiakóvski encontrava, notadamente no tempo de Shakespeare, momentos em que a palavra e o poeta não eram escravizados, sendo satisfeitas as exigências de autonomia artística. (N. A.)

suntos que aborda nesse artigo de 1913 se transformarão nos eixos em torno dos quais irá girar a ideologia estética do cinema da jovem república soviética. Como futurista que se preza, o poeta russo não é homem de explicações. Não se alonga, por exemplo, na análise do problema do ator, que será um dos cavalos de batalha para os aprendizes cineastas russos de 1920. Para Maiakóvski, o ator estaria, como o poeta, aliás, escravizado pelo teatro. Os movimentos ideados mas ritmicamente livres do corpo humano, os únicos a seu ver capazes de exprimir os maiores e mais profundos sentimentos, estariam no teatro irremediavelmente encadeados ao mundo morto da cenografia. Maiakóvski vislumbrava outras libertações provocadas pelo cinema e talvez a sua esperança maior fosse a de ver a arte em geral desembaraçada *do realismo ingênuo e do artifício de Tchékhov e Gorki*. Esse artigo que só agora, quarenta e muitos anos depois de sua publicação, pôde ser lido no Ocidente europeu e na América, foi o primeiro de uma série de três que Maiakóvski escreveu para o *Kino-Jornal*. Os outros títulos, "Destruição do teatro pelo cinema" e "Relações entre teatro, cinema e arte", indicam a unidade da reflexão do jovem autor de dezenove anos e provocam curiosidade. Mas quando esses escritos se tornarão acessíveis?

Um ano após a Revolução, Maiakóvski, sempre essencialmente um homem de ação, tentou concretizar suas ideias em filmes. Escreveu e interpretou como ator principal pelo menos três obras, a mais conhecida das quais é *A dama e o malandro*. Produzidos no quadro de uma indústria desmantelada pelos acontecimentos revolucionários e ainda não nacionalizada pelo governo, esses filmes foram realizados em condições que poderiam dificilmente ser mais impróprias. O trabalho era completado em menos de duas semanas, em geral sem ensaios, e, o mais grave, dirigido por pessoas que nutriam horror pelo movimento futurista em geral, e particularmente por Maiakóvski. Poucas pessoas, com efeito, foram como ele tão odiadas nos meios artísticos e literários da Rússia pré e pós-revolucionária. Maiakóvski guardou a pior lembrança de suas primeiras experiências cinematográficas, o que não o impediu de recomeçar a tentativa alguns anos mais tarde com a habitual e prodigiosa vitalidade que o caracterizava. No intervalo, Maiakóvski não se desinteressou pelo assunto e o combate de ideias não cessou. No fim de 1918, participando de uma reunião convocada pelas autoridades culturais, ele reafirmou a necessidade de retirar o cinema do terreno teatral e literário e delineou lucidamente uma das direções promissoras do filme soviético ao enquadrá-lo deliberadamente entre as artes gráficas. As ideias que então defendeu logo se concretizaram nos chamados *agitka,* os curtas-metragens de agitação, os *filmes-panfletos,* os *filmes-cartazes,* que deveriam assumir um papel considerável na elaboração da nova estética cinematográfica russa.

Nos congressos, jornais e revistas, Maiakóvski estava sempre presente, apesar da tenaz sabotagem que sofria. Quando em 1922, *Kinophot,* o órgão dos *filmes construtivistas,* foi editado, Maiakóvski compareceu logo com um artigo, "Kino e Kino", do qual apenas alguns extratos são conhecidos no Ocidente. O aprofundamento cada vez maior do seu interesse é evidente e o cinema lhe aparece quase como *uma maneira de compreender o mundo.* Num mesmo movimento, Maiakóvski se insurge contra o cinema comercial estrangeiro e o que se praticava então em seu país:

> O cinema está doente. O capitalismo cobriu seus olhos com ouro. Os espertos capitalistas levam-no pelas mãos através das ruas. Ganham dinheiro tocando o coração com assuntos choramingas. Isso precisa acabar. O comunismo precisa confiscar o cinema das mãos dos líderes especuladores da cegueira.

Para a carreira cinematográfica de Maiakóvski, a nacionalização do cinema nada resolveu. Se por um lado teve a alegria de ver surgir o *Encouraçado Potemkin* e defendê-lo contra a obtusidade dos burocratas soviéticos, seus renovados esforços de participar diretamente da criação de filmes constituíram uma sequência de malogros e frustrações. Escreveu numerosos roteiros, mas os poucos que foram utilizados, inteiramente fora do seu controle, redundavam em filmes que lhe causavam indignação e nojo. Houve momentos em que tudo estava decidido para realizar algumas de suas ideias com a colaboração de Kulechóv ou Kosintsev e Trauberg, mas no último momento a administração do cinema soviético cancelava os projetos. Só lhe restava o recurso de canalizar algumas de suas ideias cinematográficas para a poesia e o teatro. Os letreiros originais que havia imaginado, ele os transforma em poema. Um caráter que o havia particularmente interessado vira um personagem teatral. Ou ainda, no melhor dos casos, retoma o roteiro de *Esqueça a lareira* e escreve a peça *O percevejo*.

O malogro total do desejo de expressão cinematográfica deve ter marcado Maiakóvski. Na conferência feita no fim de março de 1930, por ocasião da exposição consagrada aos seus vinte anos de atividades artísticas, Maiakóvski aborda o teatro, mas não toca no cinema. Devia parecer-lhe irrisória a esperança juvenil de ver o poeta libertado pelo cinema dos grilhões do teatro, pois foi, apesar de tudo, neste último que Maiakóvski conseguiu realizar as *outras formas* que desejava imprimir à poesia e ao combate social.

Não sei se nos últimos anos de sua vida Maiakóvski continuou a seguir as atribulações do cinema soviético com a constância e a paixão manifestadas durante dez anos. Também ignoro se chegou a tomar plena consciência da grandeza de muitos momentos vividos pelo filme russo e de tudo que deveram às suas ideias e ação. Talvez não, pois a amargura era por demais profunda e não se referia apenas ao cinema. Parece incrível, mas até como poeta Maiakóvski se sentiu finalmente vencido, ou como homem, o que para ele era pior. A última experiência cinematográfica de Maiakóvski foi assistir à projeção de *A terra*, de Dovjenko. Mas não chegou a formular sua opinião. Era 8 de abril de 1930 e cinco dias depois o poeta meteu uma bala no crânio.

1961

Revolução, cinema e amor

Ter ideias claras é bom, mas raro. Não seria mau se ao menos para os assuntos que solicitaram nossa reflexão durante mais de vinte anos, como a revolução, o cinema e o amor, houvéssemos acedido ao grau de aproximação que autoriza um mínimo de ideias válidas e razoavelmente gerais. Cada um desses temas, porém, constitui um universo amplo, complexo, intrincado, o qual, diferentemente do universo verdadeiro que o envolve sem esclarecê-lo, presta-se mal ao conhecimento científico. Mesmo que tivéssemos competência no trato de uma ciência exata, não seria a familiaridade com uma metodologia rigorosa que tornaria mais eficaz o conhecimento daqueles nobres e angustiantes assuntos. Em ciência, apesar da mobilidade desencadeada pelo engenho humano, há em cada momento um terreno estável constituído pela acumulação harmoniosa de descobertas que se prestam ao aprendizado. De mestre a discípulo, de geração a geração, por maior que seja a efervescência crítica, processa-se uma concreta transmissão de conhecimentos em terreno delimitado e cm determinada direção. Em revolução, cinema ou amor, a apreensão de conhecimentos, para agir e julgar, se processa num esquema dialético anárquico que torna rapidamente irrisórios o planejamento e as intenções. Nas ciências da natureza e nas artes de engenharia tudo se passa realmente como se houvesse uma coincidência feliz entre as normas da razão humana e o funcionamento da realidade. Nos domínios cobertos pelas chamadas ciências do homem e pelas artes do prazer, a necessidade de ininterrupta invenção modifica a natureza da intimidade entre o sujeito conhecedor e o objeto de seu conhecimento.

Marx foi um mestre de pensamento e ação revolucionários, e Lênin, seu discípulo, mas não no sentido em que tal físico é discípulo de um colega que o antecedeu na profissão. Esses últimos guardam dentro da maior diversidade a constância do enfoque, pois o terreno sobre o qual agem e refletem permanece sensivelmente o mesmo. A história da física é a de técnicas de conhecimento e de ideias decorrentes ou antecipadoras, não é a da matéria ou de suas energias, que não vivem uma história independente daquela dos que as observam. Quando o domínio explorado é o das instituições, criações ou sentimentos humanos, tudo muda de figura. As lições de um mestre emanam de um terreno diverso daquele ao qual se aplica o discípulo, e os liames que enxergamos entre um e outro pertencem sobretudo ao reino das intenções e da terminologia. O que Lênin fez e significou tem uma relação frouxa com o que Marx pensou e quis. É lícito afirmar e fácil de demonstrar que cineastas italianos de antes da Primeira Guerra Mundial foram mestres das maiores figuras do cinema americano de 1919, que estes por sua vez tiveram como discípulos alguns grandes russos da década de 1920, que a seu turno foram mestres de italianos que se exprimiram ao término da Segunda Guerra Mundial. Basta, porém, enumerar as obras *Cabiria*, *Intolerância*, *Outubro* e *Ladrões de bicicletas* para saltar aos olhos a total diversidade dos mundos artísticos criados. Para todos os que não separam o ato de amar de um esforço de meditação coerente a respeito do amor, Stendhal é um mestre. Este é um dos casos em que, apesar da passagem do tempo, os discípulos se sentem milagrosamente próximos ao mestre que lhes aparece como um contemporâneo. Mas ainda aqui operou-se a implacável e irreversível modificação do principal terreno de observação, pois durante os últimos 150 anos as transformações sofridas pelas mulheres, certamente muito mais acentuadas do que no caso dos homens, refletiram poderosamente no campo que nos ocupa.

É em suma escasso o amparo que nos oferece a sociologia, a estética ou a psicologia, e nessas condições torna-se mais difícil cuidar de revolução, cinema ou amor, do que de física. Nos primeiros casos, para fazer ou entender, a massa dos conhecimentos acumulados são instrumentos débeis. O curioso é que somos condenados a possuí-los, mas obrigados a esquecê-los diante dos fatos novos, o que quer dizer todos os casos de espécie. Diante de uma convulsão social, de um filme ou de uma paixão, as únicas armas válidas para a ação ou o conhecimento são aquelas que nos são fornecidas pela conjuntura, isto é, as que inventamos.

E assim quase chegamos ao assunto deste folhetim. Nos dias que correm fala-se muito em revolução. Tanto os que a desejam quanto os que a temem pensam nos termos da revolução moderna mais importante, a russa. Uns e outros costumam associar a ideia da revolução que viria por aí com o desespero das massas. Não sou dos que se preocupam em impedir a revolução e, por outro lado, minhas preocupações profissionais de arquivista de sombras não me levam a praticá-la. De qualquer forma, cabe-me observar, já que no momento ando pensando em assuntos soviéticos a propósito de um festival cinematográfico, que os que se interessam de perto pelo problema revolucionário cometem uma incongruência ao ligar a Revolução Russa ao desespero. Pelo contrário, se houve acontecimentos estimulados pela mais avassaladora esperança foram bem os que se desenrolaram na Rússia de outubro de 1917 até o término da guerra civil em 1920, o inverno terrível daquele ano e a fome que lhe sucedeu, uma das mais implacáveis registradas pela história humana. Saint-

-Exupéry conta em um de seus livros a aventura de um aviador perdido na neve dos Andes. Ao retornar à civilização depois de incríveis dificuldades e sofrimentos, ele resumiu sua experiência ao declarar que nenhum bicho teria sido capaz de suportar o que lhe acontecera. Essa exclamação gloriosa de orgulho humano vem ao espírito quando pensamos nas vicissitudes do povo russo naqueles anos trágicos e imortais. O cataclismo que se abateu sobre o povo russo no início do outono de 1921 emudeceu a polêmica política internacional. É conhecido o papel dos governos da França e da Inglaterra na luta armada contra o jovem Estado soviético e a violência dos sentimentos anticomunistas que grassaram na América do Norte do início da década de 1920. Pois nesses e noutros países o filme documentário de longa-metragem produzido pelo filantropo dr. Nansen,* *A fome na Rússia*, não só foi projetado sem provocar um único protesto, mas contribuiu para o sucesso do movimento de solidariedade no qual o papel mais saliente foi o da América do Norte. Só mesmo a infelicidade mais profunda e injusta teve a capacidade de fazer amainar durante certo tempo a fúria do ódio político. Mas durante todo esse período atroz o que sustentava o ânimo do povo russo através de todas as provocações era uma ilógica e generalizada esperança.

Alguns comentários de literatura se referem às condições de miséria extrema em que morreu Alexandr Blok em 1921, insinuando que isso significava o ostracismo a que estaria relegado o eminente poeta. Essa interpreta-

---

* Fridtjof Nansen (1861-1930), cientista, explorador do Ártico e diplomata norueguês. Destacou-se na Liga das Nações como alto-comissário para refugiados, posto em que criou o passaporte Nansen para apátridas, e como alto-comissário de socorro na Rússia, em que atuou decisivamente para congregar apoio internacional às vítimas da fome. Recebeu o prêmio Nobel da Paz em 1922. (N. O.)

ção em termos de conflito entre o artista e a comunidade é talvez válida para o suicídio de Iessiênin em 1925, e sobretudo para o de Maiakóvski em 1930, mas não para o fim miserável de Blok. Em 1921, toda a gente da União Soviética praticamente vivia e, em consequência, morria na miséria. Basta lembrar as inconcebíveis condições de penúria em que prosseguiam no seu trabalho personalidades eminentes da ciência e das artes, como o fisiólogo Pavlov, o diretor de teatro Meyerhold ou o maestro Glazunov. Ao mesmo tempo, porém, viviam-se altos momentos de euforia criadora. Foi então que surgiram os escritores cujas obras deram, durante mais de duas décadas, prestígio literário à revolução triunfante, Pilniak, Gladkov, Cholokov, Fedin e outros que não chegaram a atingir no Ocidente a mesma celebridade, como Leonidas Leonov, Vsevolod Ivanov ou Iuri Tinianov. E foi também então que se manifestaram artisticamente os homens que deveriam assegurar ao filme soviético um lugar imperecível na história do cinema.

O interesse do novo regime pelo cinema garantia trabalho, durante os anos duros, apenas àqueles que se dispusessem às tarefas mais imediatas: os jornais cinematográficos e os filmes curtos de agitação e propaganda. As tarefas executadas nesse esquema tiveram uma importância enorme para a formulação dos problemas estéticos do cinema soviético. Havia, porém, poucos empregos, isto é, escassas possibilidades de filmar para os numerosos russos que haviam decidido se dedicar ao cinema. É importante notar que essa situação provisória, cuja duração ninguém podia prever, não desencorajava as vocações. Foram numerosos os grupos que se formaram e se dedicaram a toda sorte de experiências cinematográficas sem contar com um metro sequer de filme virgem. E todas as revistas e jornais de literatura, técnica ou política serviam de veículo para a agitação de ideias e de projetos cinematográficos formulados por pessoas que nunca haviam visto de perto uma câmera, mas alguns dos quais trinta meses mais tarde eram mestres prestigiosos de cinematografia. Ainda aqui os comportamentos eram comandados por uma louca esperança.

É igualmente a esperança, e a confiança que inspira, a responsável por outro fenômeno de muita significação para o cinema soviético, o de ruptura com atividades anteriores por numeroso grupo de homens de todas as idades. A ruptura de um Gauguin é difícil e dolorosa, pois se manifesta num contexto social estruturado e sólido. Na Rússia dos anos heroicos, a mobilidade que se manifestou em toda a sociedade e a própria incerteza do amanhã deu às pessoas uma liberdade de opção inconcebível em termos normais. Não há nada de surpreendente no caso de um jovem poeta experimental se dedicar ao cinema. Menos comum é um estudante de engenharia abandonar tudo por um vago desejo de expressão artística que o levará da caricatura ao teatro e daí ao cinema. Ainda menos frequente é vermos um químico profissional no limiar da maturidade dedicar-se ao filme. E bastante raro um guarda-livros quarentão tornar-se ator. Esses exemplos, que são os de Dziga Vertov, Eisenstein, Pudóvkin e Chardynin, não são limitativos, mas exprimem um fenômeno extremamente generalizado na vida soviética em torno dos anos 1920. A revolução atingia o âmago de muitas pessoas e liberava o desejo de expressão artística até então bloqueado pelas obrigações habituais do viver.

O otimismo revolucionário possui uma irresistível tendência para a simplificação dos problemas. Mesmo nossa Revolução de 1930 conheceu esse fenômeno simpático. Depois da vitória surgiram nas ruas da cidade inúmeros cofres de madeira onde o povo colocava níqueis a fim de resgatar a dívida externa brasileira. Nos primeiros anos da Revolução Russa, os principais terrenos onde se manifestou o entusiasmo simplificador foram a religião e o sexo. O cinema soviético refletiu e participou intensamente da vida do proselitismo ateizante que se manifestou, com o insucesso conhecido, nas camadas sociais mais profundas da ainda recente Santa Rússia. Esse movimento ingênuo de combate à religião foi estimulado pelo governo. Mas por outro lado as mais altas autoridades nunca viram com bons olhos a vaga de simplificação que ocorreu no domínio das relações amorosas, e esse momento da vida soviética nunca foi, que eu saiba, objeto de consideração de um filme ou romance soviético. Mais tarde foram montadas peças de teatro de caráter didático destinadas a propagar as vantagens da estabilidade conjugal. No fundo, sabe-se pouco a respeito do histórico e famoso *amor livre* soviético, mas é provável que sua natureza fosse tão ingênua e inconsequente quanto a do combate à religião. Resta, porém, o fato de que a nova e rígida moral sexual que se tentou introduzir na vida russa obedeceu exclusivamente a razões de Estado.

Os problemas de religião e sexo não retiveram a atenção das autoridades cinematográficas soviéticas em consideração apenas pelo público soviético. Quando vi a versão de *A terra* que foi apresentada no Festival de Cinema Russo e Soviético, me convenci de que os responsáveis pela exportação se preocupavam com a impressão que poderia causar no público estrangeiro as alusões de natureza religiosa ou erótica porventura existentes em filmes russos. Eu conhecia muito bem o filme de Dovjenko, mas na versão que foi distribuída no Ocidente. Revendo-o agora, deparei com duas dimensões totalmente novas para mim, e relativas precisamente à religião e ao sexo.

1961

Potemkin e Outubro

De maneira que o público do Festival de Cinema Russo e Soviético preferiu francamente o *Encouraçado Potemkin* a *Outubro*. Não é fenômeno local e novo. Há mais de trinta anos que isso acontece em toda parte. Não pretendo insinuar que durante todo esse tempo a valorização de *Potemkin* tenha ido além de seus méritos. Sua glória é merecida, ninguém se eleva contra o enorme destaque dado ao filme nos inquéritos e referendos para a escolha das maiores obras cinematográficas de todos os tempos. O que torna *Potemkin* invencível é a facilidade de sua comunicação com qualquer público, de 1926 a nossos dias. Eisenstein o definiu certa vez como cartaz, e *Potemkin* possui realmente a virtude de contato imediato e brilhante alcançado pela linguagem gráfica da propaganda em seus momentos mais altos. É concentrado, uno, cuida de uma coisa só, as ideias são poucas, simples, nítidas e apresentadas linearmente. Não é preciso iniciação para o espectador se sentir envolvido ou estimulado pelo ritmo da homenagem ao marinheiro morto ou do massacre na escadaria de Odessa. Moussinac tinha razão: ainda hoje *Potemkin* nos atinge como um grito. Não faz meditar ou imaginar; mobiliza nosso espírito através da emoção elementar da solidariedade. É um jato que possui a limpidez e a ordem de um clássico. Obra revolucionária calcada num momento histórico definido, a natureza de sua revolução é tão genérica que se torna válida universalmente. Não é preciso ser comunista, socialista ou anarquista para apreciar *Potemkin*. Também é desnecessário conhecer o episódio da rebelião na Marinha russa durante os acontecimentos revolucionários de 1905. Basta ao espectador a mediana e comum capacidade de se insurgir contra a injustiça. Em suma, a cultura não é condição indispensável para se gostar do filme. A não ser a de Chaplin, não conheço outra grande obra de arte cinematográfica que, como *Potemkin*, exija tão pouco do espectador e ao mesmo tempo lhe dê tanto.

O *Encouraçado Potemkin* e *Outubro* sugerem uma reflexão que talvez possa ser generalizada com proveito. A natureza das relações que se estabelecem entre o espectador e o filme pertence ao domínio da exigência e varia o sentido da operação entre os termos em presença. No intercâmbio entre espectador e filme, nas comunicações que se tecem para permitir a eclosão do prazer da emoção da alegria, o foco da exigência está ora num ora noutro. É provável que se possam dividir os filmes em duas categorias: os que nos fazem solicitações e os que se prestam às nossas exigências. De qualquer forma, as duas fitas de Eisenstein que nos ocupam se enquadram rigorosamente nesse esquema. Em *Potemkin* o foco de exigência é o espectador, em *Outubro* é a fita. *Potemkin* responde facilmente, *Outubro* faz perguntas difíceis. Os espectadores escolhem *Potemkin*; *Outubro* seleciona os seus. O chamado espectador exigente está perdido com *Outubro*, a fita precisa dos exigidos. *Potemkin* é o amor à primeira vista, fácil, que se prolonga numa felicidade calorosa que independe do progresso, mas o amor difícil de *Outubro* é certamente mais compensador para o espírito moderno. *Potemkin* é Baudelaire; *Outubro*, Mallarmé. Rever *Potemkin* é retornar a exaltações e prazeres conhecidos, é reler *The Hollow Men* ou a autobiografia de Trótski, é ouvir de novo a *Sagração da primavera* ou revisitar Fra

Angélico; em suma, é a volta a pontos que se tornaram pacíficos. A *Outubro* não se volta propriamente; enfrenta-se de novo com lealdade, temor, humildade, esperança, como fazemos com Pound ou Andrea del Castagno, como lemos a meditação de Trótski envelhecido a respeito do massacre do *tsarévitch* ou procuramos ouvir de novo a música que nos recusa segurança. A tensão de *Potemkin* está pronta, acabada, tornou-se, com o tempo, pré-fabricada. A de *Outubro* está permanentemente em construção. O primeiro é um passado objetivado, o outro, um futuro subjetivante.

Como abordar *Outubro*? Através das três coisas de que trata: a Revolução Russa, Eisenstein e o espectador. Desta feita, porém, o último ficará afastado, pelo menos provisoriamente.

Outubro não é a crônica cinematográfica da Revolução Russa. Essa tarefa foi executada admiravelmente por Esther Shub com *A queda da dinastia dos Románov* e *O grande caminho*, filmes de longa metragem compostos de fragmentos de atualidades e documentários, o primeiro ilustrando a vida russa de 1912 a 1917, e o segundo cobrindo os dez primeiros anos de vida soviética. Também não se trata, na fita de Eisenstein, da reconstituição acurada dos acontecimentos naqueles meses decisivos que vão de fevereiro a outubro de 1917. Essa foi a missão de Barnet com *Moscou em outubro*, filme, aliás, medíocre. Seria então um filme de ficção da natureza mais corrente, cuja ação estaria estruturalmente ligada aos grandes acontecimentos revolucionários descritos de forma bastante ampla e pormenorizada? Esse filme existe, mas não é o de Eisenstein; trata-se de *O fim de São Petersburgo*, um dos três melhores filmes de Pudovkin, juntamente com *A mãe* e *Tempestade sobre a Ásia (O herdeiro de Genghis Khan)*.

Outubro tem algo de crônica e de reconstituição histórica, estando, porém, isento de ficção. Aquilo que às

POTEMKIN E OUTUBRO

35

vezes se aparenta a esta última é ensaio de interpretação histórica ou meditação pessoal do autor. O jovem Eisenstein vivera em Petrogrado os acontecimentos revolucionários de 1917, iniciados com o movimento popular que derrubou Nicolau II e que culminaram, nove meses mais tarde, com a tomada do poder pelos bolchevistas. Naquele período, porém, não se interessava ele pelos problemas políticos e sociais. Se procurava observar o que se passava era sobretudo para imitar o comportamento de Da Vinci na Florença dos Médici por ocasião de alguns conflitos de rua. Quando mais tarde Eisenstein recebeu a incumbência de realizar um dos filmes comemorativos do décimo aniversário da Revolução, há muito se tornara um comunista convicto, embora extrapartidário. O cineasta certamente utilizou as impressões, e eventualmente algumas notas ou croquis, recolhidos durante os acontecimentos pelo estudante da Universidade de Petrogrado e admirador de Leonardo. De uma maneira geral, porém, os diversos episódios da Revolução haviam se tornado extremamente familiares à imaginação coletiva, sobretudo nos grandes centros urbanos. As reportagens de John Reed haviam adquirido imensa celebridade, e muito participante direto da Revolução recordava a experiência vivida através de *Os dez dias que abalaram o mundo*. *Outubro* é crônica sobretudo quando se inspira diretamente no texto do jornalista americano, não só quando descreve o comportamento atemorizado e desconfiado dos menchevistas conciliadores diante do movimento de armas na sede do soviete, mas quando focaliza o pormenor de um delegado do conselho dos operários e soldados que, diante da reprovação unânime, não ousa votar contra uma resolução.

A reconstituição de alguns episódios é às vezes praticamente documental. Uma tomada da repressão de julho foi inspirada tão de perto por uma fotografia da época, que em livros de história a imagem do filme é usada como se fosse o documento original. E não é o único caso. Todos os textos relativos à Revolução de Outubro descrevem a cena em que Lênin, disfarçado, é reconhecido no Instituto Smolny por dois líderes conciliadores, Dan e Skobelev. A filmagem eisensteiniana acompanhou tão meticulosamente os depoimentos históricos que não choca a presença de um fotograma ao lado de fotos documentais num volume de divulgação histórica. Tem-se a convicção íntima de que, se o fato real tivesse sido filmado, o resultado seria muito próximo do que vemos em *Outubro*. O que contribuiu decididamente para a impressão de verdade que nos dá o lado de crônica e documento de *Outubro* é o cuidado e a inteligência com que Eisenstein e seus colaboradores estudam os filmes de montagem de Esther Shub.[*]

Outubro, entretanto, não é um curso de história. O filme a exprime e interpreta muito mais do que relata. Na maior parte do tempo estamos mergulhados na história e em sua principal personagem: a massa, mas frequentemente de uma maneira condensada, ou por símbolos e alusões. Os fatos, os episódios fílmicos que tomaram como ponto de apoio inicial as ocorrências da realidade podem exigir um agenciamento fora da cronologia, a fim de que saibamos vislumbrar, pelo jogo das associações, seus mais profundos significados. É provável que as pontes sobre o Neva não tenham sido levantadas em julho quando o Governo Provisório de Kerenski abriu fogo contra as massas conduzidas pelos bolchevistas, mas elas o haviam sido em fevereiro, quando o tsarismo em estertor atirou contra o povo. Em *Outubro* a ponte única que é levantada, em julho, para separar o centro da cidade do bairro de Viborg, o mais revolucionário de todos, engloba

---

[*] Esther (Esfir) Shub (1894-1959), cineasta e montadora, foi pioneira dos documentários de arquivo, que utilizam cenas de outros filmes. Ela pertencia ao círculo de Meyerhold, onde conviveu com o jovem Serguei Eisenstein. Seu trabalho mais famoso é *A queda da dinastia Románov* (1927). (N. O.)

não só as outras pontes que ligam o coração político de Petrogrado às periferias proletárias, mas sobretudo significa que os combates contra o feudalismo dos Románov e o capitalismo do Governo Provisório de Kerenski são momentos de uma luta que permanece a mesma. Mas isso seria apenas um prelúdio à análise da sequência da ponte. As transmutações não se limitam a servir o mecanismo de transformação de ocorrência em significado. O tempo fílmico do levantar da ponte independe não só da dimensão temporal da realidade, mas igualmente da temporalidade habitual de *Outubro* em seu conjunto. É literalmente um momento de suspensão, de meditação dramática que palpita nos cabelos soltos de uma mulher assassinada, num cavalo morto que tarda cruelmente em tombar no rio, momento também de grave e insondável contemplação arquitetônica, perpassada por insinuações egípcias, pois os cavalarianos da reação tsarista eram chamados faraós. Estamos, porém, em julho de 1917, e a imagem culminante é a de um jovem operário assassinado pela burguesia triunfante e enfurecida de Kerenski. Se acrescentarmos que essas reflexões estão longe de satisfazer as inúmeras e sempre renascentes solicitações que faz ao espectador o episódio da ponte e completarmos o parágrafo com uma alusão pasma à prodigiosa beleza intrínseca da sequência tomada globalmente, teremos dado uma ideia dos altíssimos e complexos momentos de vida interior que *Outubro* é capaz de suscitar em seus espectadores.

Outro momento em que Eisenstein modela o tempo com a maior desenvoltura é o da aparição de Kerenski. Ele não acaba nunca de subir as escadas internas do Palácio de Inverno em Petrogrado. Ele galga continuamente os degraus, mas há momentos em que temos a sensação de que continua no mesmo lugar. Essa distensão do tempo fílmico significa na realidade uma condensação extrema do tempo histórico. Kerenski na escada resume de fato meses túmidos de história, desde a sua aparição na vida política como ministro até a sua tentativa de afirmação como ditador, passando pelos momentos em que reunia em suas mãos as pastas militares ou assumia a presidência do Governo Provisório, a carreira ao mesmo tempo fulgurante e lamentável da principal expressão política do intervalo entre a queda do tsarismo e a insurreição proletária. Kerenski é o personagem histórico que tem em *Outubro* maior importância na economia dramática da obra, isto é, aquele cuja presença é assegurada por maior metragem de filme. Parece que na versão original Trótski, que realmente teve uma atuação de primeiro plano nos acontecimentos de outubro como dirigente da organização militar para a insurreição e presidente do Soviete de Petrogrado, assumia importante papel. As variações da política exigiram que o futuro líder do Exército Vermelho praticamente desaparecesse da película. Jay Leyda informa que em duas cenas de conjunto Trótski está presente. Eu ainda não consegui identificá-lo no meio de tantos russos com pincenê e barbicha. O retrato que Eisenstein nos dá de Kerenski coincide perfeitamente com os dados da historiografia bolchevista, aceitos de uma maneira geral pelos historiadores ocidentais da história russa contemporânea, apesar de os seus visitantes no exílio de Paris, e depois dos Estados Unidos, se retirarem em geral com uma impressão simpática. Lênin o definia como um fanfarrão de pequena envergadura e Trótski o chamou de Narciso Kerenski. A visão do personagem que Eisenstein nos propõe é bastante próxima dessas impressões pejorativas. Ainda aqui o cineasta utilizou alguns documentos visuais recolhidos por Esther Shub, notadamente uma filmagem em que se vê o verdadeiro Kerenski descer de um automóvel sobraçando uma pasta, acompanhado de colaboradores sobraçando pastas iguais, mas guardando uma distância respeitosa, e dirigindo-se à porta de entrada de um palácio. As veleidades napoleônicas de Kerenski, e de seu adversário Kornilov, que *Outubro* acusa, também emanam das concepções marxistas russas da época. Na

História da Revolução Russa de Trótski, um capítulo sobre Kerenski e Kornilov tem como subtítulo: "Os elementos de bonapartismo na Revolução Russa". Na realidade histórica, os Bonaparte emanam do cerne da Revolução. Mais tarde, Trótski foi politicamente liquidado sob a acusação de pretender ser o Napoleão da Rússia e, em última análise, esse papel coube a Stálin, mas isso já é assunto diverso.

Desse fundo de revolução e história que constitui a estrutura de *Outubro* emanam as reflexões mais íntimas e pessoais de Eisenstein, que eventualmente se prolongam e desenvolvem até alcançarem um nível onde as motivações objetivas iniciais se perdem de vista, sendo substituídas pela mais franca subjetividade. Não há depoimento ou ensaio histórico a respeito das jornadas de julho de 1917 em Petrogrado que não faça referência a linchamento de operários revolucionários indefesos por burgueses e oficiais enfurecidos. As senhoras de Petrogrado não tiveram, que eu saiba, participação de primeiro plano nessas agressões selvagens, mas em *Outubro* é isso o que ocorre. É sabido que entre as últimas forças que se conservaram fiéis ao regime de Kerenski contava-se um batalhão feminino. É nele que Eisenstein concentra seu interesse, nas figuras desgraciosas que o compõem, no lancinante sentimento de frustração amorosa e materna que exprimem as mulheres impiedosamente expostas. As damas-assassinas de julho ou as mulheres-soldados de outubro, ou não existiram ou tiveram uma significação apenas episódica nos acontecimentos revolucionários russos. Se em *Outubro* adquirem tal preeminência é porque exprimem a visão conflitiva e persecutória que Eisenstein tinha da mulher.

Eisenstein poderia repetir o verso de Maiakóvski em seu poema "Deus expurgado": "Toda a gente sabe que entre mim e Deus há muito motivo de briga". O problema da divindade em suas implicações íntimas ou nas manifestações rituais exteriores da religião organizada não cessou nunca de preocupar Eisenstein. *Outubro* alude ao fato histórico de que o golpe militar fracassado de Kornilov foi bafejado pelo incenso da religião como fora o Governo Provisório de Kerenski ou o tsarismo de Nicolau. O general contrarrevolucionário fala e age em nome de muitas coisas, inclusive de Deus. Eisenstein parte daí para a sua fantástica montagem de divindades que se inicia no esplendor de um Cristo barroco para culminar na barbárie fetichista. O humanismo plebeu revolucionário enfrenta o primitivismo cossaco a serviço da reação. É sabido que os operários russos conseguiram dissuadir os soldados de Kornilov de sua missão fatídica e, no filme, a conclusão feliz é expressa pela dança. Os espectadores do Festival Russo e Soviético já se acostumaram a encontrar em momentos de dança vários dos momentos culminantes da arte cinematográfica soviética.

Outubro é, certamente, o filme mais rico e complexo que já se fez. Seria também o mais belo filme russo se não existisse *A terra*, de Dovjenko.

1962

Ideologia de *Metrópolis*

A morte de Siegfried e *A vingança de Kriemhild* deram a Fritz Lang um imenso prestígio artístico e comercial, mas é admissível conjecturar que sua satisfação íntima não fosse completa. O cinema alemão daqueles anos estava animado por estímulos novos que não transpareciam nos amplos afrescos do díptico dos nibelungos. Paralelamente às fantasias expressionistas ou às voltas românticas ao passado, estavam surgindo estilizações da atualidade onde se infiltravam as polêmicas sociais do tempo. Era importante para Lang ver-se aceito não só como expressão de fidelidade aos valores tradicionais da cultura germânica, mas também como homem e artista moderno. As imagens dessas duas fitas, apesar de sua frequente beleza e grandeza, evocavam um estilo fora da moda, lembravam a pintura de Böcklin ou mesmo alguns cromos, e, assim, não facilitavam a transmissão do apelo às consciências germânicas que Lang julgava ter inculcado em sua obra. Era-lhe necessário renovar a mensagem, dessa vez em termos modernos, mas a atualidade, tal como era abordada pelos outros cineastas alemães nos chamados *filmes de rua* ou em ensaios psicológicos e sociais, constituía para o ambicioso Fritz Lang de então uma temática por demais humilde e pouco vigorosa. O tom profético era-lhe essencial, e não poderia haver melhor solução do que abordar a problemática social moderna através de uma obra de antecipação. É absurdo imaginar que o assunto de *Metrópolis* lhe tenha sido imposto. Não só ele tivera um papel na elaboração do romance de Thea von Harbou, sua colaboradora e companheira de todos os instantes, como teve uma ação determinante na transformação da obra em roteiro cinematográfico. *Metrópolis* é, em todos os seus aspectos, uma expressão autêntica de Fritz Lang na Alemanha de 1927. Estilisticamente é grande o parentesco entre essa fita e *Os nibelungos*. O quadro dos acontecimentos, inspirado na visão que Lang tivera de Nova York por ocasião da sua primeira viagem aos Estados Unidos, foi composto segundo um modernismo sufocante, muito diverso da rigidez convencional mas arejada de *A morte de Siegfried*, porém nas duas fitas domina a arquitetura monumental e decorativa. Quando falamos em *massas* a propósito de *Metrópolis*, a expressão pode ser compreendida no sentido de agrupamento humano e de volume arquitetônico. A preocupação predominantemente plástica, de ordem sobretudo geométrica, identifica as duas obras. Do ponto de vista ornamental, aos frisos de guardiões da Burgúndia corresponde a fila dos operários feridos, e aos anões nibelungos, os cachos de crianças que procuram escapar à inundação. Se *Metrópolis* não tem o rigor harmonioso de *A morte de Siegfried*, é que no primeiro caso Lang se esforçou em pensar modernamente, ao passo que, no outro, tinha se limitado a confiar a expressão de seus sentimentos a um sistema mitológico tradicional e bem estabilizado.

É necessário, porém, não nos deixarmos ofuscar pelo modernismo (de 1927) do *pensamento* de *Metrópolis*, a ponto de perdermos de vista a sua combinação com temas tradicionais da civilização alemã. Spengler insistiu muito na peculiaridade e no vigor do *cristianismo germânico- -católico*, no quadro geral do florescimento da chamada cultura fáustica ou ocidental, e são admiráveis as páginas em que descreve o nascimento simultâneo dos mitos de Maria e do Diabo, que no universo gótico são inseparáveis. As formulações de Fritz Lang e Thea von Harbou nunca são inteiramente conscientes, mas não é por acaso que a Maria de *Metrópolis* tem, como a figura mitológica, um papel de intercessora, e sobretudo que a força diabólica assuma a sua aparência, a fim de melhor conduzir os homens à perdição. Foi ainda Spengler quem apresentou o espírito de invenção como a dominante da cultura ocidental, chamando a atenção para o perigo, *propriamente fáustico*, que corriam os inventores, isto é, de que o Diabo interviesse no jogo. Na moderníssima Metrópolis, última consciência das invenções, o inventor vive numa cabana medieval e expressionista, cercado de livros que poderiam pertencer à biblioteca de ciências ocultas do dr. Caligari. Já esse ambiente indica a vocação diabólica de Rotwang, cujo cérebro poderoso, após ter dado ao superpatrão capitalista os instrumentos do seu poder, ainda lhe fornece um demônio em forma de mulher, encarregado de perturbar a nascente ânsia de justiça dos proletários.

A ideologia de Fritz Lang e Thea von Harbou consiste numa espécie de permeabilidade passiva dos seus espíritos não só aos temas tradicionais da cultura germânica, mas igualmente a ideias que estavam no ar na Alemanha de 1927 — o mesmo ar respirado pelos social-democratas, pelos comunistas e pelos nazistas. Deve-se a confusão, às vezes ridícula, da mensagem moral incluída em *Metrópolis* à total falta de preparo intelectual de Lang para o empreendimento em que se arriscou. Há uma desproporção caricata entre seu rigoroso gênio plástico e a inconsequência do seu pensamento. Mas é possível que precisamente a debilidade ideológica do autor, facilitando a recepção de ideias e sentimentos que lhe eram exteriores, tenha dado à fita a faculdade de refletir a atmosfera ambígua de uma sociedade nos anos que precederam uma escolha grave para o seu destino.

Em *Metrópolis*, certa visão do regime capitalista é levada até as últimas consequências. Na base da sociedade, trabalhando e vivendo nos subterrâneos da metrópole, jaz a massa escravizada e automatizada dos proletários. Não existem praticamente setores intermédios na pirâmide social, e no pináculo, em jardins onde reina uma eterna primavera, a classe dos patrões passa sua existência de prazeres. Todas as rédeas de comando da coletividade estão nas mãos de um homem, Joh Fredersen, que não é propriamente o ditador do tipo totalitário, mas sim um superpatrão que controla o submundo operário, não com sua polícia organizada, mas graças ao trabalho de espionagem dos contramestres. Joh tem um filho, Freder Fredersen, que leva uma vida despreocupada, entregando-se aos prazeres de sua classe, até o dia em que encontra Maria, vinda do subterrâneo com um grupo de filhos de proletários que lhe aponta as crianças como sendo seus iguais. Intrigado, Freder desce às fábricas subterrâneas e tem a revelação da condição sub-humana. Outra revelação o espera quando ouve Maria pregar sua doutrina nas antigas catacumbas da cidade, diante de um altar de pedra e de toscas cruzes de madeira.[1] Ela diz que o coração deveria intervir entre o cérebro que concebe, isto é, Joh Fredersen, e a mão que executa, ou seja, a massa proletária, e que esse mediador estaria para chegar, encarnado num homem. Freder sente que é ele o Esperado, mas seu pai considera essa doutrina perigosa para a estabilidade social de Metrópolis, e encarrega Rotwang, o genial e diabólico inventor de todas as maravilhas técnicas da cidade, de construir um autômato com a figura de Maria, para confundir os operários, açulando os ânimos e justificando assim uma repressão exemplar. A ação da Maria diabólica provoca consequências que ultrapassam os planos do chefe do patronato e os próprios operários

---

1 Na parte superior da cidade existe uma bela catedral, onde, entretanto, nenhuma indicação leva a crer que haja exercício do culto. (N. A.)

acabam se voltando contra ela e queimando-a como feiticeira. Rotwang é morto por Freder ao cabo de uma luta heroica. O cérebro e a mão, isto é, Joh Fredersen e um líder operário, reconciliam-se graças à intervenção de Freder, cujo coração é inspirado por Maria, a intercessora.

O ridículo eventual desse último parágrafo não deve ser atribuído ao autor do artigo, mas ao roteiro do filme. Toda essa ambiguidade e inconsequência não deixam, entretanto, de ser reveladoras de fragmentos ideológicos importantes. Vejamos, por exemplo, os vilões da história, para os quais não houve salvação. Diferentemente do que se poderia pensar durante o desenrolar do filme, o autor intelectual da perfídia que provocou a catástrofe, ou seja, o superpatrão, não está entre eles. Os culpados são o inventor, que recebe ordens do patrão e é ao mesmo tempo inspirado pelo Diabo, e a mulher-autômato que construiu. O que mais nos interessa é esta última, pois compete-lhe indicar, na fita, que o espírito revolucionário é simultaneamente uma inspiração diabólica e resultado dos cálculos maquiavélicos do patronato. Aliás, a falsa Maria não se limita a lançar os operários à rebelião; ao mesmo tempo corrompe os filhos da casta dominante e os arrasta à orgia. O herói, o jovem Freder, adquire seus contornos exatos e pode ser considerado uma reencarnação. O Siegfried da era capitalista é o filho do patrão, orientado por uma Maria derivada da mitologia gótica, encarnação do que há de mais puro e alto na eterna Germânia. Para completar o quadro, é preciso lembrar que no happy end, quando o moderno Siegfried promove a reconciliação entre o Capital e o Trabalho, a primeira força é representada por Joh Fredersen, e a segunda pelo contramestre, que no começo da história lhe serve de espião.

Em 1927, Hitler e Goebbels assistiram *Metrópolis* num cinema de uma pequena cidade do interior da Alemanha. Acabada a projeção, o futuro ditador disse ao seu futuro ministro de Propaganda que o autor da fita parecia-lhe o homem indicado para criar o cinema nazista. Certamente Hitler se impressionou sobretudo com o gosto de Fritz Lang pelo grandioso,[2] mas é provável também que muita coisa o tenha interessado na babel ideológica de *Metrópolis*. No espírito de Lang e de seus decoradores, a estrela de davi, incrustada na porta da casa de Rotwang, indicava apenas que o inventor era iniciado nas ciências esotéricas, mas para os nazistas tratava-se do próprio símbolo do judaísmo; as ações praticadas pela Maria diabólica não poderiam deixar de causar-lhes a maior satisfação, já que segundo o hitlerismo os judeus eram ao mesmo tempo os responsáveis pela corrupção na burguesia e pelo fermento revolucionário no proletariado.

Depois de *Metrópolis*, Fritz Lang filmou sua habitual obra policial e, em seguida, *A mulher na Lua*. Quando os nazistas chegaram ao poder, Goebbels o convocou, porém ele recusou as propostas e exilou-se. Passou rapidamente pela França, onde realizou *Liliom*, e em seguida iniciou a sua frutuosa carreira americana, que ainda perdura. A ruptura com a Alemanha significou também a ruptura com Thea von Harbou e igualmente com o estilo monumental arquitetônico e a temática profética. Mas dentro das suas ambições reduzidas, nunca deixou de apurar a plasticidade.

Os jornais anunciaram ultimamente a intenção, de Fritz Lang, de filmar na Alemanha uma nova versão de *O sepulcro indiano*, seu primeiro sucesso como roteirista e cuja autoria atribuiu há quarenta anos, por amor e cortesia, a Thea von Harbou.

1959

---

2 Os grandes documentários nazistas de Leni Riefenstahl são, estilisticamente, próximos de *A morte de Siegfried* e *Metrópolis*. (N. A.)

O moleque Ricardo
e a Aliança Nacional Libertadora

Se há um escritor que na literatura brasileira contemporânea possa ser o representante típico do movimento político-social de nosso país, esse escritor é Zé Lins do Rego. Ele não é, como disse um crítico literário do Rio, "um grande escritor que devia nascer daqui a alguns anos". Absolutamente, Zé Lins do Rego é bem o escritor de sua época, sofrendo com o meio social em que vive uma evolução historicamente apressada.

O fenômeno *O moleque Ricardo* está para Zé Lins do Rego assim como o fenômeno Aliança Nacional Libertadora (ANL) está para o Brasil. *O moleque Ricardo* estava latente no Zé Lins do Rego da trilogia *Menino de engenho, Doidinho* e *Banguê*. A Aliança Nacional Libertadora estava latente no Brasil de 1933 a 1934.

O escritor social deve ser assim. Evoluir com o meio social do qual ele é o representante intelectual no campo da inteligência. Não adianta o escritor dar um grande avanço e tornar-se depois escravo, nesse ponto, para o resto da vida. É nisso que deve prestar atenção Oswald de Andrade, que evoluiu muito mais rapidamente do que o meio social que ele quer representar e educar. É preciso, entretanto, deixar-se claro que a "evolução" de Oswald não se limita às obscenidades inúteis dos seus livros, como pensa muita gente recalcada. Oswald de Andrade é sem dúvida alguma um adiantado político-artístico, e esse adiantamento, que é patente, é, todavia, desequilibrado e de um entusiasmo oratório romântico (*O homem e o cavalo*). As obscenidades de que falei fazem parte desse desequilíbrio. São motivadas principalmente, segundo creio, pela excitação infantil em que Oswald de Andrade ficou de querer ver a cara que o burguês faria ao ouvir tanto nome feio. O que aconteceu foi que Oswald não conseguiu ver a cara do burguês e nem a do proletário. Este último deu-lhe as costas, recusando levar para casa, onde tem mulher e filhos, um livro obsceno. O primeiro leu o livro escondido, para não se comprometer; gozou as obscenidades e sentiu-se satisfeito. Eis no que deu um livro (*O homem e o cavalo*) que poderia ser um estímulo intelectual e político para as massas e que não passou de uma distração picante para o burguês.

O moleque Ricardo é um romance muito mais *social* do que *socializante*, ao contrário, nesse ponto, dos romances proletários de Jorge Amado, que são principalmente político-socializantes. Não creio que haja, em nossa época, o dilema da escolha de um outro tipo de romance, não crendo também, e contrariando nesse ponto Sérgio Milliet, que o segundo seja inoportuno. Acho que o pouco que fizemos nesse campo nos permite, agora, cuidar, ao mesmo tempo, do diagnóstico e da terapêutica, isto é, do romance social — fotografia e análise — e do romance socializante — política e doutrina. Isso não só em relação *à literatura*, mas também no que se refere ao livro que poderá ser não só social *ou* socializante, mas também social *e* socializante. *O moleque Ricardo* pertence a esse último tipo, se bem que, conforme já disse, seja mais apresentação de diagnóstico do que doutrinação terapêutica.

Em *O moleque Ricardo*, Zé Lins do Rego desloca seu ponto de observação. Na trilogia inicial ele se importa com os que sofrem, mas colocando-os num segundo plano. Descreve a vida de Carlos e a propósito disso se refere aos colonos de sua fazenda. Em *O moleque Ricardo*, a história é dos que sofrem e é o Carlos que aparece a propósito.

As duas partes mais importantes d'*O moleque Ricardo* são: a miséria e a revolta. Zé Lins do Rego enxergou mesmo aquelas tristezas da rua do Cisco, cheia de urubus, lama e caranguejos, além dos sofrimentos daqueles moradores maltrapilhos que vomitavam sangue e obravam verde. A gente sente a tristeza de um lugar desses com molequinhos murchos pelos cantos e com falação que não acaba mais sobre fulano que está trepando com sicrano etc.

A dissecação da revolta de todo um povo sofredor, miserável e ignorante é muito bem-feita. A revolta das nossas massas era mesmo desorientada, sem um sentido coletivo. E esse potencial revolucionário era explorado por demagogos venais como aquele dr. Pestana, cujo tipo tão bem traçado por Zé Lins do Rego é uma advertência séria às massas brasileiras. E além disso as páginas sobre a canalhice dos estudantes de uma escola de classe são também reais e atestam a decadência da burguesia, a açambarcadora mental e pessoal das faculdades. O panorama do Brasil já pode ser mesmo sintetizado com a seguinte dupla, tão amarga: estudante venal e operário iludido.

Mas ainda n'*O moleque Ricardo* a situação se modifica. As experiências das greves fracassadas e dos movimentos explorados já formam uma consciência política esclarecida que orientará o potencial da revolta que n'*O moleque Ricardo* está tão bem representada no espanto cheio de dor de seu Lucas ao saber da deportação para Fernando de Noronha de seus "negrinhos".

"O canto dele varava a noite, varava o mundo.

— Que fizeram eles, que vão para Fernando? Ninguém sabe não."

1935

Bilhetinho a Paulo Emílio

OSWALD DE ANDRADE

Caro

Você precisa ler *O homem e o cavalo* e *O moleque Ricardo*, em vez de dizer besteira. E o que é pior — besteira reacionária.

Você está simplesmente fazendo o jogo de certo tipo de desagregador que eu chamo de piolho da Revolução. Refiro-me a uma seita de fracassados, subintelectuais, ou subartistas, cujo triste e néscio papel consiste em procurar afastar da massa os verdadeiros escritores que a querem servir. Para isso utilizam a intriga e sobretudo a intriga imbecil.

Incrustados até no corpo vivo da propaganda, esses malandros que criaram o parasitismo vermelho utilizam-se das suas atividades para, de um lado, admoestar os que honestamente servem às aspirações da nova sociedade e, de outro, lançar no público proletário a desconfiança sobre a lealdade e a utilidade dos que eles impotentemente invejam.

Não há no Brasil escritor ou artista sério, cito alguns nomes — Santa Rosa, Portinari, Aníbal Machado, Jorge Amado — que já não tenha recebido nos ombros a palmadinha sardônica desses catões de barricada, que querem "dirigir" a produção cultural revolucionária do momento. São os que melhor se aproveitaram da luta contra o intelectual em que aqui o obreirismo de reflexo tão longamente patinou.

Felizmente a luta contra o intelectual honesto já foi liquidada e o Congresso dos Escritores, reunido em Moscou, declarou bem alto que não se pergunta nunca a um companheiro donde vem, mas para onde vai.

Permita-me agora que, esmiuçando a sua composição, passe a provar que você não leu nenhum dos livros de que falou. As acusações que você me faz são duas: obscenidade e oratória romântica.

Desafio você a provar que *O homem e o cavalo* tem um quinto das situações obscenas dos livros de Zé Lins. Simplesmente porque não leu, vou explicar-lhe o que é *O homem e o cavalo*. É uma peça de alta fantasia onde coloco o homem na transição — entre o cavalo de guerra e de turfe (sociedade burguesa) e o cavalo-vapor (sociedade socialista).

Para pôr em choque os dois mundos, faço o professor Icar varar a estratosfera e ir buscar no velho céu das virgens e de Pedro a gente mais reacionária que há. Essa gente vem encontrar aqui primeiro o Fascismo, depois a Revolução e a Socialização. Onde e quando há no *Homem e o cavalo* uma única cena que possa ferir os seus adolescentes pudores? Faço um apelo à sua honestidade intelectual para que a descubra e aponte. E o mesmo apelo para que negue a escabrosidade realista de que está cheio Zé Lins, que ainda não saiu da curiosidade burguesa pelas "coisas feias", com que o Eça fez o *Padre Amaro*.

Zé Lins não passa na forma de um "narrador" como no conteúdo não vai além de um "psicólogo". Sua obra-prima até agora é *Banguê*, onde aparece o processo de transformação das forças produtivas em certa região do Brasil. Tudo isso, porém, individualizado numa decadência feudal que vai da dor de corno à venda das terras patriarcais. Em *Moleque Ricardo* há mesmo uma perda de potência do escritor. E nesse, como nos livros anteriores, ele não alcança mais que o drama individual. Que é *Moleque Ricardo*? Um indivíduo que toma consciência de sua classe.

Em *Suor* de Jorge Amado, já há o coletivo e seu drama. É uma classe que toma consciência de sua posição revolucionária. Ou você, meu futuro escritor, não enxerga também isso? Não vê que Jorge Amado já vai longe na outra esquina da produção social-socializante?

Pese pois e examine tudo isso a fim de não continuar a falsificar as coisas.

O que se pode encontrar no *Homem e o cavalo* são expressões fortes, escritas com todas as letras e tiradas aliás da linguagem diária. Mas não será você que utiliza essas expressões, que emprega o termo "trepando" num artigo de jornal e defende um escritor que também delas fartamente se utiliza, que terá autoridade para chamá-las de obscenas. Aliás toda a boa literatura, a atual como a antiga, as utiliza, não se faça de ingênuo! Dizendo que o nosso meio social está atrasado a ponto de não compreender *O homem e o cavalo* você justifica as tiragens da Editora Nacional. É claro que um operário que tem medo de mostrar em casa *O homem e o cavalo* não passa de um modesto reacionário que só pode gostar do Paulo Setúbal. Do Zé Lins também não pode porque o Zé Lins também tem "porcaria". Nem de Gladkov ou de Ilya Ehrenburg, que também têm. E passando aos clássicos nem de Dante, Shakespeare ou Camões.

Ao contrário do que você levianamente afirma, *O homem e o cavalo* é um livro que interessa à massa. Conforme comunicação que me fez Osório César, está sendo traduzido na Rússia soviética e um líder de esquerda, o escritor americano Samuel Putnam, me pediu os direitos para sua tradução, montagem e filmagem nos Estados Unidos. Em carta recente Jorge Amado me diz: "O Putnam escreveu dizendo que seu livro já está traduzido e ele está tratando de encenar".

Será que a tradução russa está destinada a qualquer elite burguesa? Ou os homens do "New Theater" de Nova York pretendem montá-la para um público burguês? Má-

-fé, burrice, inconsciência ou falta de conhecimento do caso. Ponho você neste último compartimento, pedindo--lhe que doutra vez leia os livros e tome nota das coisas, antes de repetir a palavra de ordem falsária dos piolhos da avançada social.

Quanto à oratória romântica do *Homem e o cavalo*, passo a piada a Lênin, Stálin e Eisenstein de quem tirei toda a "declamação" social e construtiva de minha peça.

Sem mais, o sempre disposto,

Oswald de Andrade
S. Paulo, 22-9-35

Um discípulo de Oswald em 1935

Lá pelos dezoito anos tudo, com exceção do cinema e de qualquer ciência exata, me interessava tão vivamente quanto confusa e superficialmente: política, literatura, psicanálise, teatro, arquitetura, sociologia, pintura. O critério era um só. Tudo que me parecesse moderno tinha valor.

Não sei como explodiu em mim a fé no modernismo. Mas havia um antecedente. No ginásio praticava modernismo sem o saber, até o dia em que vivi um episódio singular. Durante as aulas de química, física ou latim, costumava escrever diálogos de teatro, num espírito de gozação e eventualmente em colaboração com meu colega de classe Décio de Almeida Prado.

De uma feita não preparara a composição encomendada por seu Gonçalves, o professor de português. Acuado, aproveitei o intervalo maior de dez minutos para encher uma folha de papel com frases de no máximo três palavras, alinhadas umas embaixo das outras. Mal entreguei o papel já estava arrependido e temeroso com as eventuais consequências da molecagem. O que me aguardava era o meu primeiro e único triunfo escolar.

É preciso lembrar que o ginásio em questão, o Liceu Nacional Rio Branco, havia sido concebido no espírito novo da reforma da educação de Fernando Azevedo e Lourenço Filho, e que lá por 1931 conservava traços das origens. Imagino que um dos princípios do Liceu era encorajar a originalidade e explico assim o entusiasmo com que foi recebida minha composição por seu Gonçalves e pelo diretor, dr. Almeida Júnior, que a leu nas classes mais adiantadas. A surpresa foi instantaneamente substituída pelo prazer do sucesso, mas deve ter surgido muita perplexidade dentro de mim. Ela veio mais de uma vez à tona, vinte anos depois, no divã do psicanalista.

Em 1935, pois, aderia a tudo que me parecia moderno: comunismo, aprismo,* Flávio de Carvalho, Mário de Andrade, Lasar Segall, Gilberto Freyre, Anita Malfatti, André Dreyfus, Lênin, Stálin e Trótski, Meyerhold e Renato Vianna. A confusão era ainda maior. Quando fui ao Rio recolher artigos para a revista que estava fundando com Décio de Almeida Prado, *Movimento*, visitei Lúcia Miguel Pereira, Gilberto Amado, Pontes de Miranda e Maurício de Medeiros...

Conheci Oswald depois da publicação da revista. Encontrara seu filho Nonê no ateliê de Anita, que havia desenhado a capa de *Movimento*, e deve ter sido ele quem me apresentou ao pai ilustre. O nome de Oswald de Andrade tinha para mim enorme prestígio. Como o de Mário de Andrade. Não que houvesse lido seus livros. Mas eram as figuras principais do modernismo brasileiro e sabia que Oswald se tornara comunista. Um ano antes, o jornal que fundara com Pagu, *O Homem do Povo*, havia sido depredado pelos acadêmicos de direito.

---

* Aprismo foi um movimento nascido no Peru, nos anos 1920, inspirado na Revolução Mexicana. A Aliança Popular Revolucionária Americana (Apra) foi criada por Victor Raúl Haya de la Torre, então um jovem estudante peruano no exílio, sob a bandeira "indo-americana" e a pretensão de criar um movimento continental, com base em valores nativos, anti-imperialistas, de recusa a oligarquias ligadas aos Estados Unidos. Como pano de fundo tinha a Revolução Mexicana e a atuação do nacionalista cubano José Martí. (N. E.)

Oswald me adotou imediatamente, e guardo a impressão de que o via o tempo todo. Mas não me lembro onde morava e penso que naquele período nunca fui à sua casa. Encontrávamo-nos no café da praça do Patriarca onde hoje é A Capital. Também na leiteria Campo Belo, numa rôtisserie do prédio Martinelli, e igualmente num outro café situado no lado oposto da rua São Bento, para a banda do largo de São Francisco e da Faculdade de Direito. Naquele tempo o centro ainda era do lado de lá do viaduto. Foi no último café citado que certa vez nos defrontamos com Roland Cavalcanti de Albuquerque Corbisier, Francisco Luís de Almeida Sales e outros estudantes integralistas. Oswald contou ao pequeno auditório, que reagiu indignado, o caso de um capitalista italiano assediado pelos partidários de Plínio Salgado a fim de contribuir financeiramente para a causa, e que viera pedir informações a ele, Oswald: "Integralismo! Que cossa é questa nuova cavaçó?". Eu sobraçava um volume intacto de *Les Questions du léninisme*, de J. Stálin, das Editions Sociales et Internationales. Roland, olhos brilhantes, me concitava a ler Alberto Torres. Oswald defendia minhas leituras afirmando que o livro de Stálin era o *De Bello Gallico* do século xx.

Meu pai, um pouco inquieto, acompanhava de longe essa minha nova amizade. Mamãe era mais moderna, havia ido ao baile da Spam* no Trocadero** fantasiada de vendedora de bolas de gás, mas tinha cisma com Oswald. Quando mais tarde o apresentei, ele fez uma profunda reverência, beijou-lhe as mãos, e me elogiou muito, o que causou boa impressão. Mas a cisma permaneceu.

---

* Sociedade Pró-Arte Moderna, criada em 1932 por iniciativa de Mário de Andrade. Reunia os modernistas Lasar Segall, Sérgio Milliet, John Graz, Anita Malfatti, Tarsila do Amaral, Menotti del Picchia e os patronos Olívia Guedes Penteado e Paulo Prado. (N. O.)
** Palacete que se localizava atrás do Teatro Municipal. (N. E.)

UM DISCÍPULO DE OSWALD EM 1935

Foi com Oswald que fui ao Municipal ver a bailarina expressionista norte-americana Belle Didjah dançar, com uma enorme bandeira vermelha, uma música inspirada no hino da Internacional. Visitávamos também as raras exposições de arte, e Oswald aprovou rindo os desaforos que escrevi no livro de impressões de uma senhora latino-americana sua amiga que pintava florestas tropicais.

Foi Oswald que me levou de volta ao circo que frequentara na infância com meu irmão Éme, levados por Maria Preta, mas do qual só guardara a lembrança de uma aguda crise de apendicite. Piolin, amigo de Oswald, interpelava-o do meio da pista. Ele respondia, Nonê e eu arriscávamos alguma coisa e nos integrávamos no espetáculo. Mais tarde eu deveria frequentar metodicamente o Circo Piolin, na praça Marechal Deodoro, durante cerca de dois anos. Cheguei a escrever uma espécie de ensaio sobre Piolin, mas os companheiros da revista *Clima* se opuseram a que fosse incluído no número da revista em preparo. Meu texto com efeito continha algumas expressões populares ou infantis ainda mal aceitas literariamente, como, por exemplo, "pipi". Acontece que havia sido recebido e já aceito um poema de Vinicius de Moraes no qual o verso estribilho era "cocô de ratinho, cocô de ratão". Se não me engano foi Décio de Almeida Prado que opinou contra esse acúmulo num mesmo número da revista. A publicação do meu trabalho foi adiada e em seguida devo ter perdido o manuscrito. Deploro, pois desconfio que não era mau.*

Viajávamos também. Quando se noticiou que Lupe Velez estava a caminho de Buenos Aires, Oswald, Nonê e eu descemos a Santos a fim de entrevistá-la no navio,

---

* Trata-se do texto "Vontade de crônica sobre o Circo Piolin solidamente armado à praça Marechal Deodoro", que integrou a coletânea *Paulo Emílio: Um intelectual na linha de frente.* Carlos Augusto Calil e Teresa Machado (Orgs.). São Paulo: Brasiliense; Rio de Janeiro: Embrafilme, 1986, pp. 46-51. (N. O.)

por conta de *A Plateia*, um jornal então em fase esquerdizante. A atriz estava casada com Johnny Weissmuller, e a primeira pergunta de Oswald foi: "Usted tiene celos de Tarzan?". Afastado diplomaticamente pelo empresário da entrevista coletiva, o meu amigo refugiou-se num canto com a secretária da artista, uma velhota, a quem atribuiu declarações extraordinárias na reportagem que publicou: Lupe Velez não saberia ler ou escrever, aliás em Hollywood toda gente era mais ou menos analfabeta, com a única exceção de Chaplin.

As aperturas econômicas já atenazavam a vida de Oswald. Andava empenhado em demandas contra a Cúria Metropolitana e não tinha mais o *Cadillac verde*, ao qual se referiria Mário de Andrade numa conferência célebre,* ou outro carro qualquer. Mas havia um táxi com um chofer japonês que era como se fosse dele. Nesse automóvel é que circulávamos. Íamos a Itu na companhia da poeta Julieta Bárbara e de um peruano, Guillermo Hohagen, amigo de Víctor Raúl Haya de la Torre e representante dos apristas refugiados em Buenos Aires. Acompanhava-nos também com frequência uma criança de uns quatro anos, Rudá, filho de Oswald e Pagu, a quem uma lenda tenaz atribuía o nome de Rhodo Metallico, o melhor lança-perfume existente na praça durante o Carnaval. Encontrávamo-nos também no Rio de Janeiro.

Éramos mestre e discípulo. O estilo curioso de nossas relações é, como verifiquei mais tarde, bastante frequente.

---

* Referência a O Movimento Modernista, conferência de Mário de Andrade pronunciada no Rio de Janeiro em 1942. Evocando o clima de euforia que precedeu a Semana de Arte Moderna, a certa altura diz Mário: "E eram aquelas fugas desabaladas dentro da noite, na Cadillac verde de Osvaldo de Andrade, a meu ver a figura mais característica e dinâmica do movimento, para ir ler as nossas obras-primas em Santos, no Alto da Serra, na Ilha das Palmas...". Mário de Andrade, *Aspectos da literatura brasileira*. São Paulo: Martins, 1972, p. 237. (N. O.)

Eu não cessava nunca de agredi-lo. Hoje fico pasmo com a paciência que Oswald de Andrade tinha comigo. Imagino que o divertia. No Rio, quando me levava para conhecer Manuel Bandeira, José Lins do Rego, Aníbal Machado ou o jovem Jorge Amado, que acabara de publicar *Jubiabá*, eu não perdia uma ocasião de contradizê-lo, às vezes de forma bastante virulenta. Oswald, feliz, explicava para seus amigos que minha forma vital de expressão era o coice, mas que não houvesse engano, não se tratava de um cavalo, e sim de um potro. A impressão que aquelas figuras da literatura brasileira moderna me causavam era variável. Murilo Mendes me impressionou porque ao descer do ônibus que nos conduzia berrou um "abaixo o fascismo" na direção dos passageiros atônitos. Também fomos ver Portinari e Santa Rosa, que haviam sido contratados pela Universidade do Distrito Federal, fundada por Pedro Ernesto, que entregara sua organização a Anísio Teixeira, modelo que seria destruído alguns meses mais tarde e que só renasceria muitos anos depois, em Brasília.

O importante, porém, era quando Oswald me conduzia à redação e às oficinas de *A Manhã*, de Pedro Mota Lima, órgão oficioso da Aliança Nacional Libertadora, a expressão política legal do esquerdismo brasileiro. Lá conheci paginando o jornal em mangas de camisa, mergulhados no entusiasmo do trabalho militante, o pintor Di Cavalcanti e um jovem como eu, Carlos, filho de Maurício de Lacerda, o tribuno da Aliança Liberal que acabava de aderir à Aliança Nacional Libertadora; sobrinho de Paulo, que teria enlouquecido na prisão sob as torturas policiais; e também de Fernando de Lacerda, que morava na Rússia. Nessas ocasiões eu readquiria a austeridade. Política era para mim o que havia de mais sério.

Sub-repticiamente o comunismo me conduzia ao puritanismo. Logo surgiram entre discípulo e mestre conflitos menos superficiais. Eu começara a ler os livros de Oswald de Andrade e não os levava muito a sério. Literatura para mim ainda era sobretudo Eça de Queirós e mesmo Guerra Junqueiro e até Medeiros e Albuquerque. Admirava, porém, com grande entusiasmo os artigos panfletários de meu amigo, notadamente "A retirada dos dez mil". Não reli essa polêmica contra os integralistas, mas calculo que a perfídia e a riqueza de invenção me encantariam ainda hoje, apesar das raízes na tradição do trocadilho, esse mecanismo de humor tão caro às gerações intelectuais brasileiras anteriores à Primeira Guerra Mundial, mas que ainda alcançou e marcou os modernistas de 1922 e seu principal historiador, Mário da Silva Brito.

Serafim Ponte Grande me divertia, mas *O homem e o cavalo* me desnorteou e chocou. É bom sublinhar que meu entusiasmo pela vanguarda teatral, notadamente por Meyerhold, decorria de confusas leituras de descrições e impressões, por sua vez não muito claras, de Joseph Gregor ou René Fülöp-Miller que encontrava nos livros mal traduzidos da Editora Globo. Ainda aqui o principal aos meus olhos era o quadro dessas experiências artísticas, a Rússia. Tinha ouvido falar e admirava em confiança *O bailado do Deus morto* de Flávio de Carvalho. Minha experiência real de espectador não ultrapassava Joracy Camargo, Procópio e Renato Vianna.

Alguns aspectos de *O homem e o cavalo* me atraíam muito. Parecia-me evidente que a peça era maravilhosamente subversiva, abertamente revolucionária, que profetizava a irresistível ascensão do proletariado ao domínio da sociedade, do mundo, da Lua e dos outros planetas.[1] Ao mesmo tempo estava convencido de que a principal função do teatro de vanguarda seria a de dar aos operários brasileiros a consciência da alta missão que os esperava.

---

1 O espaço de *O homem e o cavalo* é interplanetário e o tempo abarca mais de 2 mil anos. O único *planeta vermelho* aparentemente é a Terra. Marte, notadamente, permanece bastante reacionário, apesar de possuir um partido comunista poderoso. (N. A.)

Nesse ponto é que se aguçavam minhas reservas contra *O homem e o cavalo*. Como é que um texto, pensava eu, que se destina a operários pode conter tantos palavrões, alguns pronunciados por são Pedro, ou cartazes e situações escabrosas? Nenhum trabalhador brasileiro, continuava pensando, levaria essas obscenidades e blasfêmias para casa, e se por acaso assistisse à encenação da peça em companhia da família, sairia certamente indignado. Pensava e dizia tudo isso para Oswald. Além de dizer, escrevi.

O artigo saiu na *Manhã* e na *Plateia*, o que já seria suficiente para agastar Oswald. Pior do que isso, estava repleto de elogios a José Lins do Rego que publicara então *O moleque Ricardo*. Aí meu amigo estrilou num desabafo impregnado de ciúme, se bem que o ciúme literário em estado puro só o vi manifestar em relação a Mário de Andrade, o qual, aliás, como pude constatar, nutria igual sentimento pelo antigo companheiro de luta modernista. Essas descobertas me surpreendiam, pois conhecia muito pouca coisa fora ou dentro de mim.

A resposta de Oswald foi um artigo ferino onde demonstrava que eu não havia entendido *O homem e o cavalo*, me acusava de tartufismo e me xingava de *piolho da Revolução*. Com efeito, não foi só a concepção geral da obra que escapou ao meu entendimento, mas igualmente uma quantidade de pormenores. Uma das personagens da peça é Eisenstein. Apesar de o texto se referir ao *homem do cinema*, eu estava convencido de que se tratava de uma deformação de Einstein, da mesma forma que Oswald transformara o professor Piccard, o pioneiro da estratosfera, em Icar. Em suma, só me atingiam as declamações revolucionárias ou então evocações sentimentais como a *mãe do Soldado Desconhecido*. Para isso estava preparado, pois assistira em fins de 1930 a um sketch dramático de uma revista de variedades onde uma mulher toda de negro interpelava um presidente Washington Luís abatido pelo remorso.

No dia seguinte à publicação do artigo de Oswald, *A Plateia* escreveu um editorial chamando a nossa atenção, dizendo que os intelectuais revolucionários não deviam brigar entre si. Eufórico de me ver tratado de intelectual e revolucionário, me liguei ainda mais com Oswald, para grande escândalo de minha mãe que não se conformava com o piolho.

Oswald estava fundando um clube artístico, O Quarteirão, e me colocou na secretaria-geral como seu instrumento. O clube nunca chegou a se organizar realmente, mas foram criadas comissões de todo tipo, menos de cinema, e houve muita reunião. Flávio de Carvalho procurava distinguir as tendências artísticas aceitáveis das que deveriam ser combatidas. Raul Briquet representava a ciência, Paulo Mendes de Almeida propunha noções sobre Carducci, Oswald exaltava Bernard Shaw, o *ponta-esquerda da burguesia britânica*. Havia jovens, Afrânio Zuccolotto, Sangirardi Júnior, Décio de Almeida Prado, Osmar Pimentel. Geraldo Ferraz, que simpatizava com a Quarta, procurava detectar nas moções as palavras de ordem da Terceira Internacional.

Tenho a impressão de que meus dezoito anos duraram anos. Tudo aconteceu em alguns poucos meses de 1935. No fim desse ano os comunistas ensaiaram um golpe militar. Oswald se escondeu. Eu fui preso, provavelmente de acordo com meus secretos desejos, mas sem imaginar que a prisão pudesse durar tanto tempo. Quando um ano e meio mais tarde consegui fugir do presídio do Paraíso, mal revi Oswald e viajei.

E quando voltei havia acabado a idade de ouro.

1964

Anarquismo e cinema

A ideologia anarquista não é bem do meu tempo. Quando comecei a interessar-me por problemas e ideias sociais, o anarquismo parecia tão longínquo quanto o positivismo. Li bastante cedo o livro de Plekhanov sobre anarquia e socialismo, e a argumentação do eminente marxista russo a respeito do problema de Estado pareceu-me coerente, o que naquele tempo era para mim sinônimo de certo. Vi pela primeira vez um anarquista no cemitério da Consolação. Décio Pinto de Oliveira, o estudante de direito que me introduzira nos meios da juventude comunista paulistana, morrera num domingo ensolarado de outubro de 1934, dando combate aos integralistas e à polícia na praça da Sé.[1] O acompanhamento de seu enterro foi bastante heterogêneo, pois compareceram os colegas e professores, estes últimos de beca,[2] ao lado de delegações de todos

[1] Foi o conflito ideológico de maiores proporções que a cidade de São Paulo viveu. Os integralistas e a polícia foram atacados por uma frente única constituída de socialistas, comunistas, trotskistas e anarquistas. Entre os numerosos feridos a bala contava-se Mário Pedrosa. (N. A.)

[2] Em 1934, o ambiente da Faculdade de Direito era bastante conservador ou mesmo reacionário. Além de Décio Pinto de Oliveira, o único estudante comunista era Arnaldo Pedroso d'Horta. (N. A.)

os movimentos revolucionários da capital. Na hora dos discursos, o advogado e deputado socialista Zoroastro Gouveia fez, como era de praxe, alguns desenvolvimentos teóricos e referiu-se em dado momento à "anarquia da produção capitalista". Imediatamente estalou um aparte. Era um anarquista que de forma cortês, mas extremamente viva, se insurgia contra o uso indevido da palavra anarquia no sentido de desordem. Como o ambiente fosse muito tenso, a interrupção insólita provocou uma exaltação de ânimos que quase degenerou em briga.

Um ano e pouco depois desses acontecimentos, tive ocasião de travar mais amplo conhecimento com anarquistas nos presídios do Paraíso e Maria Zélia, onde passei bastante tempo. Nesse ínterim, familiarizara-me um pouco com o movimento anarquista brasileiro lendo *A Plebe*, editada no Rio, ou *A Lanterna*, de São Paulo, periódicos de publicação bastante irregular, ou ouvindo oradores em reuniões promovidas pela Aliança Nacional Libertadora, movimento de inspiração comunista ao qual a maior parte dos esquerdistas, inclusive um grupo anarquista, deu o seu apoio. Na prisão, eram bastante cordiais as relações entre as diferentes facções ideológicas, e eu me dei bem com o velho libertário Felipe e sobretudo com Edgard Leuenroth, por quem nutri uma estima que perdura até hoje. Eu vislumbrava igualmente o antigo anarquismo brasileiro nas pessoas de companheiros mais idosos que se haviam convertido ao comunismo, como Everardo Dias ou o lutador impávido que foi Oreste Ristori. A vida política continuava intensa atrás das grades. Houve muita animação entre os anarquistas quando chegou ao presídio Maria Zélia a notícia de que havia sido preso e logo estaria entre nós o líder libertário Soller. Nos outros grupos havia sempre pessoas bem-falantes, e os anarquistas do Maria Zélia sentiam-se um pouco por baixo, já que Edgard Leuenroth no momento se encontrava em outra prisão. Soller chegava com reputação formada de bom conferencista e orador, e seus ca-

ANARQUISMO E CINEMA

maradas diziam radiantes, a nós comunistas, *esperem para ver*. A fim de que o leitor desta história antiga compreenda o que se passou, é preciso explicar que a ação da polícia em 1935-6 foi bastante arbitrária e que a maior parte dos prisioneiros, alguns milhares, que passaram pelos presídios do Paraíso e Maria Zélia, não tinha uma ideologia política definida. O papel dos grupos organizados era pois o de conquistar para suas posições essa massa bastante heterogênea. Sem muito alarde, os comunistas controlavam a situação, e devo dizer que provavelmente me inquietou o efeito que poderiam ter sobre operários de Bauru, soldados de Caçapava ou camponeses de Mirassol as palavras ardentes e comunicativas de um anarquista espanhol, pois essa era a nacionalidade de Soller. Mal ele chegou, foi logo marcada a conferência a realizar-se no teatro que havíamos construído dentro do presídio. Quando Soller subiu ao palco, o pavilhão repleto o aclamou e eu tomei a palavra. Depois de desejar boas-vindas ao novo companheiro, expliquei que considerava de meu dever esclarecer ao recém-chegado alguns aspectos das condições que cercavam nossa vida de prisioneiros. A nossa força repousava em nossa união, e a direção do presídio, a polícia e o governo sabiam disso, e em consequência procurariam tirar o máximo partido de qualquer dissensão que entre nós se manifestasse. Nessa ordem de ideias, sugeria ao orador que se limitasse a tratar daqueles temas em torno dos quais todos estávamos de acordo, isto é, em última análise, o programa da Aliança Nacional Libertadora. Minha intervenção tendo sido muito aplaudida, Soller respondeu que compreendia perfeitamente meu ponto de vista, porém abster-se-ia de fazer a conferência, pois falar com limitações o inibia. Os anarquistas olharam-me de soslaio, e Artur Heládio Neves, que funcionava como líder dos jovens comunistas presos, transmitiu-me, discretamente, na primeira oportunidade, os mais efusivos parabéns, em nome do Partido. Hoje, 26 anos depois daquele acontecimento, não sou capaz de discernir a margem de sinceridade ou de má-fé da minha alocução. Alguns meses mais tarde, dissemos "até logo" a Soller e o vimos pela última vez. O governo havia decidido a deportação dos estrangeiros acusados de *extremismo*. Os espanhóis eram desembarcados no porto de Vigo, já então em poder de Franco, e sumariamente executados. Ainda não tínhamos conhecimento desse mecanismo hipócrita e infernal de matar, quando acompanhamos cantando a partida de Soller e de outros companheiros do Maria Zélia. Nossa canção de despedida era sobretudo um samba cuja letra se tornou, retrospectivamente, irônica e sinistra:

Vai, vai meu bem
vai cumprir a tua sina
o teu destino será teu juiz
Muito embora eu fique chorando
peço a Deus que te faça feliz.

As modificações de minha ótica política, ou o seu total desaparecimento com o correr dos anos, não impediram que eu mantivesse certo interesse pelo anarquismo, ou melhor, pelos anarquistas. Com efeito, as teorias libertárias nunca me iluminaram, ao contrário, pareceram-me sempre terrivelmente inconsistentes. O que sempre me impressionou foi a biografia, o comportamento dos anarquistas. Essas vidas frequentemente ensinaram-me muito, e algumas passagens me exaltam e comovem até hoje. Se bem que, menino, por ocasião do episódio Sacco e Vanzetti, chegaram até mim os clamores gerais contra a injustiça que se estava praticando. Bem mais tarde, li bastante sobre o assunto, e algumas cartas que Sacco escreveu da prisão, enquanto aguardava a hora do suplício na cadeira elétrica, constituem a mais autêntica expressão moderna desse conjunto de qualidades ao qual se pode dar o nome de santidade. E finalmente houve um momento em que meus estudos cinematográficos me conduziram a longas pesquisas sobre

ANARQUISMO E CINEMA

o movimento anarquista francês dos fins do século passado e dos primórdios deste, quando procurei decifrar a personalidade do pai do cineasta Jean Vigo, o em seu tempo célebre Miguel Almereyda, que viveu uma juventude libertária ardente e generosa.* No Festival Russo e Soviético, um dos filmes apresentados teve o dom de provocar minha sensibilidade *anarquizante* de maneira muito aguda.

Antigamente, as ideias de russo e anarquista caminhavam juntas. Tratava-se do anarquista fabricador de bombas e partidário do atentado terrorista. Na seleção de filmes antigos projetados na semana passada no Marrocos,** via-se uma excelente comédia que ilustrava bem a ideia, com uma coleção de russos barbudos munidos cada um de uma bomba maior que a outra. É curioso

---

* Paulo Emílio dedicou um livro inteiro a Almereyda, escrito em francês no início do decênio de 1950: *Vigo, dit Almereyda*. Permaneceu inédito até 1991, quando a Companhia das Letras publicou sua tradução com o título *Vigo, vulgo Almereyda*. Uma segunda edição saiu em 2009 na caixa *Jean Vigo*, pela Cosac Naify em parceria com o Sesc-SP. (N. O.)

** O luxuoso Cine Marrocos, com seu salão de entrada em estilo mourisco, foi sede do I Festival Internacional de Cinema do Brasil, realizado em 1954 como parte da celebração do Quarto Centenário de São Paulo. Para a ocasião vieram atores, atrizes e diretores de prestígio do mundo todo, como Erich von Stroheim, Abel Gance, Michel Simon, Edward G. Robinson, Fred MacMurray, Errol Flynn e Joan Fontaine; críticos e diretores de cinematecas, como André Bazin, Henri Langlois e Ernest Lindgren. Inaugurado em 1951 com o bordão "O melhor e mais luxuoso cinema da América Latina", o Marrocos fazia parte da valorizada Cinelândia, que abrigava os cinemas Art Palácio, Marabá, Ipiranga e Olido. Fechado em 1994 pelo proprietário, foi tombado e depois desapropriado pela prefeitura em 2010 para integrar-se à obra da Praça das Artes, situada entre a rua Conselheiro Crispiniano, a avenida São João e a rua Formosa. Em 2013, o prédio foi ocupado por pessoas sem teto, o que impediu sua restauração. (N. O.)

notar que a associação entre esse tipo de anarquista e o movimento social russo em nosso século é historicamente falsa. A tendência anárquica denominada individualista, da qual emanou a terrorista, teve muito pouco curso na Rússia. Seu terreno de eleição foram os países latinos, e os poucos eslavos anarcoindividualistas eram sobretudo emigrantes que agiam nos Estados Unidos. O atentado foi frequente na vida política russa, mas durante os primeiros vinte anos do século xx a sua prática tornou-se exclusividade do chamado Partido Socialista Revolucionário. O anarquismo russo é fundamentalmente o da tendência comunal, pois o próprio anarcossindicalismo não chegou a fincar pé no movimento operário do país.

O papel dos anarquistas na Revolução Russa é sistematicamente ignorado, quando não rebaixado pela literatura marxista, seja ela de inspiração leninista, stalinista ou trotskista. Foi com razão que o militante e historiador ucraniano Volin deu ao seu livro sobre o assunto o título de *A revolução desconhecida*. As constantes deformações não impedem que a ação dos anarquistas na Ucrânia seja um dos capítulos mais importantes da epopeia revolucionária vivida pela Rússia a partir de 1917. A Makhnovtchina, que estendeu sua ação por todo o sul da Ucrânia, tirou a denominação de seu líder Nestor Makhno, uma figura de singular relevo naqueles anos extremamente ricos em personalidades marcantes de revolucionários. Na fita *Os pequenos diabos vermelhos*, exibida durante o festival, existem dois personagens históricos, o chefe militar comunista Budieni e Makhno. Este último, porém, é apresentado sob os traços de um bandido, que só não é ridículo quando se torna odioso, e cujos óculos escuros evocam irresistivelmente Lampião, para uma plateia brasileira. A caricatura falsa e grosseira provocou em mim riso e indignação e levou-me a procurar velhas leituras a fim de restaurar na memória o perfil do heroico camponês libertário.

ANARQUISMO E CINEMA

Nascido numa família camponesa paupérrima da região de Gulai-Pole, no sul da Ucrânia, aos sete anos Makhno já vendia seu trabalho como pastor de ovelhas e durante o inverno frequentava a escola. Aos doze anos deixou a família e a escola, indo trabalhar para os ricos colonos alemães, numerosos na região. A revolta contra a exploração de que era vítima assume forma ideológica por ocasião dos acontecimentos revolucionários de 1905, e Makhno, aos dezessete anos, opta pelo comunismo libertário ao qual será fiel durante toda a vida. Nos anos de repressão que se seguiram, foi condenado à forca, só não tendo sido executado devido à pouca idade. Condenado à prisão perpétua, recuperou a liberdade quando caiu o tsarismo em fevereiro de 1917. De volta à sua terra e tendo adquirido relativa cultura durante os oito anos de prisão, Makhno tornou-se em pouco tempo um líder camponês de imenso prestígio e iniciou, no sul da Ucrânia, antes da tomada do poder pelos bolchevistas, a expropriação das grandes propriedades. Depois da Revolução de Outubro, da qual os anarquistas russos participaram ativamente, Makhno e seus companheiros promoveram em grande escala a aplicação de suas ideias. A história dessa experimentação anarquista numa vasta região camponesa foi por enquanto relatada apenas em livros obscuros, sendo muito pouco conhecida. De qualquer maneira, sua fase pacífica durou relativamente pouco. Os acontecimentos precipitaram-se, e durante anos Makhno foi obrigado a se dedicar a tarefas sobretudo de natureza militar. A Ucrânia foi o campo de batalha mais complexo de toda a Revolução Russa. Encontravam-se em presença as forças mais diversas. Para simplificar, diremos que havia o *Exército Insurrecto* de Makhno, os bolchevistas, as forças nacionalistas burguesas de Petliura, um governo local imposto pelos austríacos e alemães, e mais tarde os exércitos brancos de Denikin e em seguida de Wrangel. As forças de Makhno, criadas através da *mobilização geral voluntária e igualitária*, lutaram permanentemente contra todos os poderes contrarrevolucionários acima enumerados. As relações da Makhnovtchina com os bolchevistas variaram muitas vezes, indo da colaboração íntima até uma luta aberta. Três vezes pelo menos, e durante períodos mais ou menos longos, as bandeiras negras da anarquia e as vermelhas do comunismo flutuaram lado a lado na luta comum. O papel dos anarquistas na derrota de Denikin foi talvez maior que o dos bolchevistas. Esses sucessos provavelmente não faziam senão aumentar a desconfiança e a hostilidade do governo soviético, particularmente de Trótski, o chefe do Exército Vermelho que sempre manifestou, durante a guerra civil, a maior ojeriza pelos guerrilheiros revolucionários que escapavam ao seu comando militar e ao controle ideológico do Partido. Lênin, pelo menos, durante certo tempo, teve uma posição mais moderada; conferenciou certa vez com Makhno e chegou a pensar em entregar uma porção do território ucraniano para ser administrado pelos libertários. As boas disposições e o entendimento entre anarquistas e bolchevistas não duraram, e os primeiros foram finalmente aniquilados pelos segundos. Esse período final do combate, situado nos fins de 1921, foi o mais ingrato, mas nem por isso o menos heroico na carreira revolucionária de Makhno. Os makhnovistas foram dizimados pela guerra, a fome e o tifo, e em determinado momento eram 3 mil contra 150 mil soldados sob as ordens de Trótski. Logo depois, alguns companheiros levaram Makhno ferido através da fronteira com a Romênia.

É possível que Makhno fosse um líder fora do seu tempo. Ele só acreditava nas energias revolucionárias acumuladas no campesinato russo. Nas memórias redigidas no exílio, Makhno refere-se com desconfiança ao *veneno político das cidades* ou com asco ao *cheiro de mentira e traição das cidades*. Passou seus últimos anos em Paris, onde morreu em 1935, sendo incinerado no Père Lachaise, onde existe uma urna com seu nome. Suas principais fraquezas foram o álcool e as moças, pelo que foi muito reprovado.

ANARQUISMO E CINEMA

Não é difícil imaginar o que Makhno, o mais completo guerrilheiro que já se conheceu, o combatente que num só dia foi ferido seis vezes em diferentes momentos da luta, o chefe da cavalaria mais rápida da história militar, que no intervalo de horas dava combate em dois pontos situados a quase um quilômetro de distância, o inimigo implacável de qualquer forma de poder econômico ou político do homem sobre o homem, o festeiro alegre e tomador de vodca, repito, não é difícil calcular o que ele tenha significado para a imaginação dos adolescentes russos em 1923, ano em que foi realizado *Os pequenos diabos vermelhos*. O filme conta a história de um menino e sua irmã, leitores entusiastas de Fenimore Cooper e de Ethel Lilian Voynich, levados a viver uma aventura bem mais extraordinária do que as contadas por seus romancistas prediletos. O garoto, a irmã e um amigo realizam uma proeza de que o exército vermelho fora incapaz. Prendem Makhno e entregam-no dentro de um saco ao heroico general Budionny, chefe da Cavalaria Vermelha. E dessa maneira se esclarece o sentido de *Os pequenos diabos vermelhos*, realizado evidentemente tendo em vista sobretudo as plateias juvenis. Se a caricatura do herói cuja legenda se queria destruir era grosseira, o mecanismo de destruição do mito não deixou de ser sutil, pois na fita Makhno é vencido pelos personagens juvenis com os quais o público se identifica.

Não perdoo os realizadores de *Os pequenos diabos vermelhos*. Se houver alguém à procura de assunto para um bom livro de aventuras para crianças, sugiro a história da vida e dos combates de Nestor Makhno.

1961

Renoir e a Frente Popular

Há mais de vinte anos, resolvi com um grupo retirar-me de um casarão que existia na rua do Paraíso e onde residíamos há mais de um ano contra a nossa vontade. As portas e portões eram guardados por sentinelas armadas e as janelas providas de fortes grades, de modo que para sair tivemos de cavar na direção de um quintal vizinho um túnel de dez metros. Numa madrugada, logo após o Carnaval de 1937, partimos discretamente.* Alguns meses depois eu me encontrava em Paris, assistindo a uma fita que fora lançada com grande sucesso: *A grande ilusão* (1937). Com pequenos intervalos, revi esse filme inúmeras vezes. Eu não tinha então nenhum interesse especial por cinema e era a primeira vez que me acontecia voltar a assistir a uma fita já conhecida. A razão mais clara para meu comportamento era uma sequência de tentativa de fuga de prisioneiros franceses na Alemanha durante a Primeira Guerra Mundial, que evocava de forma viva minha experiência recente. Esse fato, porém, só explica meu interesse inicial em rever a fita. Em seguida, fui movido por motivos que nada tinham de autobiográficos, mas que não eram ainda a consciência de um fato estético novo.

---

* Em 1935, logo após a tentativa de levante comunista no Brasil, Paulo Emílio, em razão de sua militância de esquerda, foi detido por catorze meses nos presídios Maria Zélia e do Paraíso. (N. O.)

Não havia mérito nenhum em se gostar de *A grande ilusão* em 1937. Tanto esse filme quanto *A besta humana*, realizado um ano depois, foram imensos sucessos de bilheteria e asseguraram a Jean Renoir um renome internacional. A França vivia naqueles anos um profundo movimento de opinião que assumiria em 1936 a forma do triunfo da Frente Popular e da série de leis sociais ligadas ao nome de Léon Blum. Os filmes de Renoir tinham o colorido social característico da época. Já em 1935 ele havia realizado *Toni*, que aparece hoje como precursor do estilo italiano do pós-guerra: filmagem ao ar livre, ausência de atores conhecidos, personagens e ambientes populares. Segundo as aparências, as atividades de Renoir o definiam como um artista de estilo realista e participante da ação social.

Dois grandes empreendimentos artísticos coletivos, um teatral e outro cinematográfico, foram tentados durante a Frente Popular. O primeiro, uma combinação de ação dramática e balé de massas, baseado num libreto de Jean-Richard Bloch, *Naissance d'une Cité*, foi montado no Velódromo de Inverno com figurantes aos milhares. Esse espetáculo grandioso e às vezes inspirado situava-se no futuro e fora de qualquer lugar definido. A iniciativa cinematográfica, encabeçada por Renoir, foi uma crônica da Revolução Francesa desde o levantamento do primeiro batalhão de voluntários marselheses até a batalha de Valmy. O lado épico dos acontecimentos foi posto em segundo plano e o tom familiar domina. Sentimo-nos igualmente próximos dos problemas cotidianos dos camponeses revoltados contra os nobres, do interesse de Luís XVI pelas folhas mortas de um outono prematuro ou de sua curiosidade pelas invenções recentes, a escova de dentes por exemplo. Com exceção de Maria Antonieta, todos os personagens de *A Marselhesa* (1938), os nobres, as personalidades oficiais, os guardas suíços, os padres, sem falar dos tipos do povo, são simpáticos. Essa atmosfera de simpatia humana mais ou menos indiscriminada foi na época interpretada, com certa razão, como expressão de habilidade política. Apesar de algumas aparências em contrário, naqueles anos eram as forças da direita e do fascismo que estavam na ofensiva e tomavam a iniciativa do ódio. A Frente Popular era muito mais um fenômeno de defesa, e suas formações heterogêneas exigiam como cimento de uma unidade, aliás precária, não uma ideologia de combate, mas o sentimento de generosidade difusa, denominador comum de todas as correntes esquerdistas, que só é utilizado de forma calculada pelos quadros dirigentes comunistas. Esse clima particular de compromisso reinava na Frente Popular e se espelha com muita fidelidade em *A Marselhesa*, e também em *A grande ilusão*, filme igualmente sem vilões mas onde se demonstra que a demarcação das classes sociais é mais nítida e profunda do que as fronteiras nacionais.

Os outros filmes realizados por Jean Renoir durante os cinco anos imediatamente anteriores à guerra são facilmente enquadrados numa linha popular e esquerdizante. Em *O crime do senhor Lange* (1936), realizado após *Toni* em colaboração com os Prévert, havia uma cooperativa operária ameaçada por um vilão disfarçado em padre e admiravelmente interpretado por Jules Berry. Num filme baseado em *O submundo*, de Górki, uma galeria de personagens desclassificados e não conformistas — nobres, ladrões, prostitutas e atores — desenvolvia uma alegre polêmica anarquizante contra a sociedade. Não seria mesmo impossível alinhar nessa tendência *A besta humana*, desde que se concentre a atenção na atmosfera fraternal da comunidade ferroviária ou no comportamento ignóbil de um grande burguês em relação à afilhada.

Renoir, porém, não se limitou a participar de forma mais ou menos indireta de um movimento social, de uma atmosfera psicológica coletiva que envolvia milhões de pessoas. Ele assumiu compromissos muito mais definidos, aceitando a realização de um filme de propaganda produzido pelo Partido Comunista Francês. Nunca tive ocasião de ver *A vida é nossa* (1936), que não foi distribuído comercialmente. Renoir o escreveu em colaboração com Paul Vaillant-Couturier, e François Truffaut informa-nos, no número especial de *Cahiers du Cinéma* sobre o cineasta, que se trata de uma obra muito boa onde se encadeiam aspectos da vida francesa a discursos políticos de Maurice Thorez, Marcel Cachin e Jacques Duclos.

Esses filmes e esses fatos traçaram um perfil muito nítido do Renoir de antes da guerra. Mais tarde, muita gente sentiu dificuldades em compreender o quanto era ilusória essa nitidez e como deformava a fisionomia, incomparavelmente mais rica e complexa, do artista. Seus primeiros filmes falados e toda a obra muda não eram então exibidos nos clubes de cinema. *A regra do jogo* (1939), sua última fita francesa antes da partida para os Estados Unidos, fora distribuída algumas semanas antes do início da guerra, diante da mais total incompreensão da crítica e do público, no qual se incluía o autor deste artigo. Durante os anos de guerra conservei na memória apenas a sequência, aliás extraordinária, de uma caçada. Faço essa confissão com certa vergonha, pois hoje *A regra do jogo* é para mim (e para muitos) não só a obra-prima de Renoir, mas o melhor filme francês e um dos melhores do mundo. No início das hostilidades, a censura militar retirou o filme de circulação por considerá-lo atentatório à moral da nação.

Outro filme de Renoir, *Um dia no campo*, de 1936 — mesmo ano da fita para os comunistas —, poderia ter contribuído para desfazer o contorno simplista que o autor assumiu no pré-guerra. Ficou, porém, inédito durante dez anos.

Depois de terminada a guerra, a partir do relançamento de *A regra do jogo* e da estreia de *Um dia no campo*, reiniciaram-se em bases inteiramente renovadas a apreciação e o estudo do Renoir. Entretempo, ele havia prosseguido sua obra na América, na Índia e novamente na

Europa. As últimas etapas de sua carreira e o conhecimento do conjunto de seus filmes, tornado possível pelo trabalho da Cinemateca Francesa, transformaram Jean Renoir numa das personalidades artísticas mais fascinantes do século.

1958

Manifesto da União Democrática Socialista (UDS)

Ao povo brasileiro
Aos trabalhadores da cidade e dos campos
À mocidade das fábricas e das escolas

INTRODUÇÃO

No Brasil nunca houve democracia. Ao longo de toda a nossa história, contudo, o povo manifestou o anseio de atingi-la e exprimiu esse anseio em numerosas revoluções e movimentos de opinião, particularmente os de 1889 e 1930. A Primeira República, estruturada pela Constituição de 1891, nasceu de um movimento democrático que se desvirtuou com a adesão dos senhores de escravos prejudicados pela Abolição, tendo alimentado, desse modo, os germes que deveriam destruí-la. Coisa semelhante aconteceu à Segunda República, nascida da Revolução de Outubro de 1930 e legalizada pela Constituição de 1934, que deu ao Brasil um esboço de regime democrático ingloriamente liquidado com os "estados de guerra* e o golpe de 10 de novembro de 1937.

---

* Em 1935, a Câmara dos Deputados aprovou a Lei de Segurança Nacional (ou Lei Monstro) proposta pelo governo Vargas, que expandia os poderes do presidente, sob pretexto do acirramento ideológico e do fortalecimento da ANL. A lei criou a figura jurídica do "estado de guerra interna", que suspendia as garantias constitucionais. As conquistas democráticas da Constituição de 1934 foram assim rapidamente anuladas. Esta medida antecipou em dois anos o golpe do Estado Novo. (N. O.)

Durante essas duas fases históricas, apenas uma parte mínima do povo brasileiro teve acesso às liberdades democráticas. Na verdade, a democracia só existia para as camadas economicamente mais favorecidas da população. Era uma democracia de falsas elites, afastadas das massas populares. Os partidos políticos nada mais eram que a expressão eleitoral dos grandes fazendeiros, industriais e comerciantes e dos banqueiros, que mantinham o poder estatal em suas mãos como expressão de domínio de uma oligarquia reacionária e retrógrada.

A pequena burguesia urbana nunca teve um partido político que encarnasse e defendesse seus interesses econômicos e sociais, sufocados pela máquina governamental dos clãs conservadores, e só encontrou expressão política em movimentos militares como os de 1922 e 1924.* Essa debilidade política devia-se à instabilidade da classe média no quadro social. Chamada historicamente, no Brasil, a desempenhar um papel revolucionário, mediante uma estreita união política com outras classes oprimidas, a pequena burguesia não podia manter-se isolada na luta contra as oligarquias conservadoras e, assim, foi incapaz de desarticular sozinha as poderosas máquinas eleitorais e governamentais dessas oligarquias. Os pequenos industriais e comerciantes e outros setores da população socialmente

---

* Paulo Emílio alude ao Movimento Tenentista, que eclodiu na revolta dos 18 do Forte (Copacabana) em 1922, na Revolução de julho de 1924, em que São Paulo foi bombardeada, e na Comuna de Manaus (julho a agosto de 1924). O grupo que tomou São Paulo teve de evacuar a cidade após a repressão do Exército e prolongou a sua fuga a partir do Mato Grosso, formando a Coluna Prestes, que percorreu o país até 1927, divulgando uma agenda de reformas políticas que incluía o voto secreto e a reforma da instrução pública. O Movimento Tenentista tomaria finalmente o poder em 1930 ao derrubar o governo de Washington Luís, pondo fim à República Velha. (N. O.)

colocados na posição de classe média, como os funcionários, intelectuais, bancários e comerciários, profissionais liberais e mesmo alguns sacerdotes, não puderam encontrar meios de afirmação política independente. A Revolução de 1930, que correspondia às aspirações democráticas de todas as classes oprimidas e deveria abrir oportunidades de afirmação para a classe média, logo teve o seu desenvolvimento truncado porque vinha dirigido e controlado por uma dissidência da própria oligarquia contra a qual fora desencadeado o movimento. As forças políticas representativas dos anseios da pequena burguesia urbana e que haviam dado ao movimento de 1930 acentuado cunho popular — como o Tenentismo, herdeiro das tradições revolucionárias de 1922 e 1924 — não chegaram a dominar a situação política brasileira, não obstante os esforços de organismos imprecisos e efêmeros como o Clube 3 de Outubro.* O quadro oligárquico foi reconstituído rapidamente. As forças políticas representativas da classe média, hostis ainda a uma aliança com o proletariado urbano e rural, não puderam resistir e esfacelaram-se. Parte dos seus elementos procurou uma solução no Integralismo, pois no Brasil o fascismo também encontrou apoio na insatisfação de setores da classe média. Outros incorporaram-se

---

* A aliança entre tenentes e oligarquias dissidentes que deram sustentação ao golpe de Estado de 1930 durou pouco. Os interesses não eram convergentes. Os civis queriam retomar o poder pelo restabelecimento do processo democrático em novas bases, com uma nova Constituição, mas os tenentes não abriam mão de um regime autoritário, centralizado e nacionalista. Para divulgar sua ideologia, criaram em fevereiro de 1931 o Clube 3 de Outubro, cujo nome já trazia uma reafirmação dos ideais revolucionários. Os tenentes criticavam o federalismo, apoiavam a intervenção estatal na economia, a representação política corporativa, a eliminação do latifúndio, a instituição da legislação trabalhista. Com o acirramento da clivagem política, o clube foi dissolvido em 1935. (N. O.)

aos partidos políticos das classes conservadoras. Outros, finalmente, capacitando-se dos seus erros e debilidades, tomaram o único rumo consequente possível, aliando-se aos grupos de esquerda e ao movimento operário para formar a Aliança Nacional Libertadora, destinada a lutar contra as oligarquias. Depois de 1934, consolidados os partidos conservadores, principalmente em consequência da reação que se seguiu ao movimento esquerdista de novembro de 1935, as classes médias fizeram apenas débeis tentativas de articulação eleitoral. Suas possibilidades de afirmação autônoma e de aliança com os trabalhadores foram, finalmente, cortadas pelo golpe do Estado Novo.

De 1889 a 1930, o proletariado industrial lutou arduamente por um regime democrático e pela melhoria de suas condições econômicas e sociais.

A solidariedade operária toma forma no fim do século passado, acentua-se com a greve dos ferroviários de São Paulo, em 1905, com a organização de partidos e jornais classistas e assume grandes proporções com a greve geral de 1917, quando os trabalhadores conquistam as primeiras leis sociais. O operariado participou ativamente das agitações que precederam a Revolução de Outubro de 1930, cuja vitória possibilitou o surto sindicalista e a conquista de importantes leis de amparo. As oligarquias trataram de impedir o acesso do proletariado às liberdades democráticas e o desenvolvimento da sua força política, perseguindo os seus partidos de classe, policiando os seus sindicatos e proibindo-lhe a imprensa própria. As organizações clandestinas de esquerda não chegaram a influir nos acontecimentos políticos do país, como força representativa da classe operária, senão com o movimento da Aliança Nacional Libertadora (ANL), que empolgou vastos setores do povo. A máquina governamental dos clãs conservadores reagiu rapidamente com a Lei de Segurança Nacional e o fechamento da ANL, em julho de 1935, ao mesmo tempo que estimulava o desenvolvimento do Integralismo, sucursal brasileira

MANIFESTO DA UNIÃO DEMOCRÁTICA SOCIALISTA (UDS)

do nazifascismo, como tropa de choque da reação. Num ato de desespero, elementos de esquerda tentaram atalhar o avanço do fascismo nacional, deflagrando o movimento de novembro daquele ano, logo subjugado. Desde então, os trabalhadores perderam todos os direitos políticos, sendo dissolvidas pela repressão policial ou inutilizadas pelo controle governamental todas as suas organizações de classe. As esperanças surgidas com a campanha eleitoral de 1937 desvaneceram-se com o advento do Estado Novo.

Constituindo a maioria do povo brasileiro, a grande massa dos trabalhadores da terra, formada de trabalhadores assalariados do campo, sitiantes e pequenos agricultores, nunca teve participação efetiva na vida política nacional. A dispersão demográfica com a consequente falta de espírito associativo, a ignorância, a falta de saúde, o baixo nível econômico e certas peculiaridades de formação histórica do país nunca permitiram que os milhões de caboclos tivessem noção precisa dos seus problemas sociais e dos meios de resolvê-los politicamente, e muito menos partidos capazes de orientá-los. Os nossos movimentos agrários, explosões indisciplinadas contra a opressão, assumiram formas religiosas e de pura rebeldia, como os de Canudos, do Contestado e, de um modo geral, o cangaço. À frente desses movimentos não aparecem líderes políticos conscientes, mas profetas e iluminados como Antônio Conselheiro, o monge José Maria, o padre Cícero e o beato Lourenço. Esses movimentos foram implacavelmente esmagados mediante o emprego da força bruta. Nulo foi o papel político do nosso sertanejo. Na história do liberalismo e da pseudodemocracia do Brasil, os grandes fazendeiros, industriais, comerciantes e banqueiros já falaram muito. A classe média e o operariado disseram algumas palavras. Os trabalhadores da terra são a grande voz muda da história brasileira.

A UNIÃO DEMOCRÁTICA SOCIALISTA

O Estado Novo implantado por Getúlio Vargas, com o auxílio do Integralismo e a cumplicidade de largos setores das classes conservadoras, representa historicamente um supremo esforço de consolidação das oligarquias que sempre se opuseram ao progresso do Brasil. A ditadura é uma nova forma, mais reacionária e mais retrógrada, de domínio dos latifundiários, dos banqueiros e dos monopolizadores do comércio e da indústria. Para mantê-la, foram postos em prática os métodos de violência e de corrupção do fascismo europeu. A classe média e os trabalhadores são as vítimas dessa opressão política e policial, diferindo somente os meios empregados.

O golpe de 10 de novembro foi recebido com resignação e desinteresse, pois a nação não possuía um regime democrático autêntico. Os trabalhadores da cidade e dos campos, a classe média e os intelectuais, estavam moral, política e ideologicamente desarmados, uma vez que não podiam interessar-se pela defesa de um regime que nada tinha de democrático para eles.

Os representantes das classes conservadoras receberam a ditadura com simpatia ou, pelo menos, sem oposição, porque o regime fascista que se iniciava atendia aos seus interesses de classe naquele momento. Dos partidos políticos que representavam a burguesia urbana e latifundiária, apenas alguns poucos elementos se mantiveram na oposição ao golpe fascista, porque preferiram colocar sua dignidade política acima dos interesses dos grupos econômicos. Mas não encontraram campo propício nem forças para enfrentar a ditadura. Os agrupamentos clandestinos de esquerda, divididos por lutas internas e enfraquecidos pela repressão de 1935 e 1936, nada puderam fazer. Dessa forma, pôde o Estado Novo consolidar-se e manter-se até hoje, com o seu quadro de opressão política, econômica e social exercida em favor das classes conservadoras contra os trabalhadores da cidade e dos campos e a pequena burguesia urbana e rural.

Em alguns setores, entretanto, organizou-se desde logo um enérgico movimento de resistência à ditadura, sobretudo entre os moços que anteriormente já vinham lutando contra o Integralismo. Desse movimento, alguns elementos que se inclinavam decididamente para a esquerda, procurando uma solução para os problemas brasileiros dentro das doutrinas socialistas, passaram a constituir-se gradativamente em agrupamento independente, ao mesmo tempo que elaboravam sua experiência política pela ação prática antifascista, pelo debate e pelo contato com outros agrupamentos políticos de oposição à ditadura.

Hoje, quando chegamos ao momento de arregimentação partidária das várias tendências e correntes de opinião política, esses elementos esquerdistas que integravam o movimento de resistência dos moços, em conjunto com operários, jornalistas, comerciários e estudantes que ainda não militaram nos tradicionais partidos de esquerda ou que deles desejam afastar-se por discordarem das suas posições políticas atuais e dos seus sectarismo e divisionismo facciosos, resolvem lançar a União Democrática Socialista.

O nosso movimento não se constitui ainda em partido. Visamos por ora formar um agrupamento de ação política independente, no seio do movimento proletário brasileiro, sem objetivos eleitorais imediatos e próprios.

Em conjunto com outros agrupamentos socialistas colaboraremos na efetiva democratização do Brasil, lutando ao mesmo tempo pela conquista de melhorias econômicas e sociais para os trabalhadores e pela formação de um amplo partido de base popular e de âmbito nacional que possa desenvolver eficientemente uma ação política pelo advento do socialismo em nosso país.

Dentro desses objetivos procuraremos educar quadros políticos da mocidade para o socialismo militante, pela ação política, pelo estudo dos problemas brasileiros, pelo repúdio aos personalismos sectários e pelo estrito respeito aos processos democráticos de livre discussão, crítica e elaboração coletiva.

A vitória do regime socialista na União Soviética e a vitalidade demonstrada por esse regime na guerra atual, possibilitando a destruição da poderosa máquina bélica do nazismo, e, por outro lado, a dura experiência do fascismo, como produto do imperialismo e do capitalismo monopolista, provaram à saciedade que o socialismo não só é possível na sociedade contemporânea como também é necessário para que a humanidade possa ter uma continuidade progressista. Todavia, as forças reacionárias do capitalismo monopolista permanecem ativas em todo o mundo, procurando sempre tolher qualquer passo das massas populares no sentido de uma democracia sem classe. Só a luta enérgica e consequente dos agrupamentos e partidos socialistas, mediante o desenvolvimento da consciência política das massas populares, sobretudo do proletariado, no interior de cada país, poderá impedir que as forças reacionárias tenham êxito, lançando sobre o mundo novas formas de fascismo e de terror e novas guerras de destruição.

A União Democrática Socialista procurará orientar-se nesse sentido e estimular outros agrupamentos esquerdistas a que o façam, estabelecendo seu plano de ação política estritamente de acordo com as peculiaridades históricas e sociais do Brasil, longe das fórmulas esquemáticas e dos sectarismos facciosos. Embora o socialismo seja por definição de caráter internacional, sobretudo na atual fase de desenvolvimento do mundo, entendemos que os meios de atingi-lo só poderão ser encontrados pelos partidos políticos esquerdistas em cada país, de acordo com suas próprias condições econômicas, sociais e políticas nacionais. Igualmente, embora a força do socialismo em todos os países esteja estreitamente ligada ao poderoso apoio moral e ideológico que representa a União Sovié-

MANIFESTO DA UNIÃO DEMOCRÁTICA SOCIALISTA (UDS)

tica, entendemos que a ação dos partidos representativos da classe operária não deve tomar como ponto de referência a política externa russa.

Como objetivo imediato, lutaremos também pela urgente moralização da vida política brasileira. O fascismo tentou legitimar o amoralismo político e o uso da imoralidade como arma política, métodos encarnados no Brasil na pessoa do sr. Getúlio Vargas. Que as forças reacionárias usem desses métodos não nos parece surpreendente, mas o que não podemos admitir é que correntes renovadoras o façam. A esquerda no Brasil apresenta alguns deploráveis resultados do uso de métodos imbuídos de amoralismo. Sentimo-nos no dever de preservar a nova geração socialista desses males, lutando energicamente contra aqueles métodos e exigindo o mesmo das demais correntes esquerdistas e progressistas.

PROGRAMA POLÍTICO-SOCIAL

O Estado Novo está sendo destruído pelas mesmas forças que destruíram o fascismo e o nazismo na guerra atual e provocarão amanhã a derrocada das ditaduras de Franco, de Salazar e de Perón. A incapacidade governamental, a corrupção administrativa e o crescimento das forças oposicionistas, aliados ao descontentamento generalizado do povo, foram os fatores internos que determinaram a desmoralização da ditadura e criaram as condições para a sua derrocada. A instalação de um regime democrático estável, capaz de resistir a futuras investidas das forças reacionárias, porém, depende de uma exata compreensão das bases sociais do Estado Novo e dos problemas da sua liquidação.

A União Democrática Socialista se baterá pela instauração do regime socialista no Brasil, por uma democracia sem classes onde possam ter pleno desenvolvimento todas as forças produtivas do país. A realização das transformações econômicas, políticas e sociais necessárias para se atingir esse objetivo cabe ao proletariado. Todavia, no futuro próximo, o desenvolvimento do Brasil ainda se processará nos moldes de uma democracia burguesa, que não foi atingida devido ao predomínio das oligarquias reacionárias na política brasileira. E nessa democracia, o proletariado, como força mais consequentemente democrática, terá um papel decisivo, aliando-se a forças políticas representativas das massas rurais e da pequena burguesia urbana, igualmente interessadas na efetiva democratização do país. Para que se processe esse desenvolvimento, porém, torna-se necessário que se realizem modificações substanciais no panorama econômico, político e social do Brasil, como a luta contra o imperialismo e outras medidas de caráter progressista. O Estado, sob controle exclusivo da burguesia nacional, dos grandes industriais, banqueiros e latifundiários, não poderá levar à prática tais medidas. Somente a ação política do proletariado, das massas rurais e da classe média e a sua influência, exercida através do peso de suas representações em órgãos legislativos soberanos, é que poderá assegurar aquele desenvolvimento.

Propugnaremos, portanto, como base para a efetiva democratização do Brasil, no futuro próximo, por uma estreita aliança política das forças representativas do proletariado urbano, da classe média e das massas rurais, dentro de programas mínimos de frente única que compreendam a reforma agrária em bases amplas, a estruturação democrática do Estado, medidas anti-imperialistas e outras que possam levar a democracia no Brasil às suas últimas consequências. Paralelamente, nos bateremos pela educação política da classe operária, destinada a desenvolver as transformações econômicas e sociais em sentido socialista.

REIVINDICAÇÕES IMEDIATAS

A tarefa mais urgente das forças democráticas nacionais é a liquidação definitiva do Estado Novo, cujo aparelhamento de repressão continua de pé, e o combate às manobras continuístas do ditador. Por outro lado, consideramos que a destruição definitiva do fascismo só estará consumada depois de reformas políticas, econômicas e sociais, pois o predomínio das oligarquias poderá conduzir-nos à instauração de uma nova ditadura.

O Estado Novo arruinou o Brasil e agravou consideravelmente a situação econômica do povo trabalhador. A desvalorização da moeda e a inflação desenfreada elevaram o custo de vida a índices jamais conhecidos, enquanto os salários tiveram aumentos insignificantes. A miséria, a mortalidade infantil e a ignorância são os contrastes chocantes da dissipação das classes abastadas e dos lucros extraordinários. A crise econômica inevitável com o fim da guerra poderá agravar mais ainda a situação do povo. Daí a apatia popular e a necessidade de satisfação imediata das justas aspirações das classes trabalhadoras.

Dentro desse programa, a União Democrática Socialista lutará imediatamente pelos objetivos seguintes:

1. Destruição da ditadura, anulação da carta de 1937 e do ato adicional, convocação de uma Assembleia Constituinte, eleita pelo sufrágio universal, direto e secreto, com a concessão do direito de voto a todos os brasileiros capazes, maiores de dezoito anos;

2. Liberdade de imprensa, de reunião, de associação, de organização partidária, abolição do DNI [Departamento Nacional de Informações], dos DEI [Departamento Estadual de Informações], do Tribunal de Segurança Nacional e das polícias políticas;

3. Liberdade e autonomia dos sindicatos e direito de greve;
4. Melhoria e aplicação eficiente da legislação trabalhista. Abolição do sistema especial empregado nas indústrias consideradas de guerra. Pagamento dobrado das férias e descanso obrigatório. Justiça gratuita para os trabalhadores. Extensão da legislação social aos trabalhadores assalariados do campo;
5. Ajustamento dos salários ao custo de vida e conversão dos abonos em salários;
6. Medidas anti-inflacionistas e estabilização da moeda; medidas contra a especulação e o mercado negro;
7. Instituto único de previdência, organizado mediante a fusão dos institutos e caixas existentes. Participação dos sindicatos no controle de suas rendas, para solução do problema da casa para o trabalhador. Melhoria das pensões, garantindo aos aposentados e beneficiários o mínimo para a subsistência;
8. Ensino oficial gratuito em todos os graus e obrigatório no primeiro;
9. Ampliação dos serviços de assistência sanitária;
10. Apuração da origem das fortunas dos funcionários da ditadura, principalmente da coordenação e das comissões de abastecimento, por meio de comissões parlamentares;
11. Descentralização administrativa e autonomia municipal. Reforma do sistema tributário, com abolição dos impostos indiretos;
12. Desenvolvimento do cooperativismo nas cidades e nos campos, visando proteger o pequeno produtor e o consumidor. Eliminação drástica dos intermediários de função puramente parasitária.

MANIFESTO DA UNIÃO DEMOCRÁTICA SOCIALISTA (UDS) 89

A União Democrática Socialista lutará ao lado de todas as forças liberais e esquerdistas contra o Estado Novo e se baterá pela unidade de ação das forças democráticas contra a ditadura. Dentro das coligações ou blocos oposicionistas de que participamos, conservaremos a nossa independência de ação, reservando-nos a tarefa que nos propomos de formação de quadros políticos da nova geração proletária e da classe média e o direito de crítica da inconsequência dos agrupamentos políticos liberais e do eventual facciosismo dos grupos de esquerda. Entendemos que os antigos partidos, que constituíam a expressão política das classes conservadoras, estão comprometidos na corrupção das instituições republicanas e não poderão dirigir a estruturação democrática do país, pois no passado já se revelaram incapazes de uma ação política consequente em prol da democracia brasileira. A má vontade da opinião pública em relação aos porta-vozes dos velhos partidos, que estão reaparecendo, é justa e exprime a instintiva compreensão desse fenômeno de superação da democracia formal do passado. Respeitamos o valor de alguns poucos homens de formação liberal que integravam os velhos partidos e que empregaram suas energias no combate à ditadura, esperando que venham militar nas correntes renovadoras, rompendo as ligações com as classes conservadoras a fim de se unirem às classes historicamente destinadas a estabelecer no Brasil uma democracia efetiva. Combateremos decididamente a participação na vida pública e no governo de qualquer homem que possa ser apontado como responsável pela implantação ou manutenção do Estado Novo fascista.

Relativamente à luta eleitoral já declarada, reconhecemos existirem diferenças substanciais entre as candidaturas existentes. A candidatura Eduardo Gomes, no momento, polariza forças políticas e sociais capazes de abrir perspectivas para uma luta programática mais definida no futuro próximo — sobretudo pela garantia que encerra de abolição da carta de 10 de novembro e o seu ato adicional, assim como da convocação de uma Assembleia Nacional Constituinte, muito embora congregue também alguns representantes dos velhos partidos conservadores. Contrariamente, a candidatura Gaspar Dutra polariza as forças mais reacionárias do país, as velhas oligarquias políticas e o fascismo indígena, cuja vitória significaria a continuação do Estado Novo sob uma nova forma e com democracia puramente de rótulo. Entre essas candidaturas, tomamos partido ao lado de Eduardo Gomes. Esse apoio, entretanto, visa ao reforço e à unidade das correntes democráticas de oposição à ditadura e estará sempre condicionado ao lançamento de programas que sejam consentâneos com as aspirações econômicas, sociais e políticas da classe média e dos trabalhadores.

É com esses propósitos que a União Democrática Socialista se apresenta ao povo brasileiro, aos trabalhadores e à mocidade. Concitamos as forças novas do Brasil, a mocidade das fábricas e das escolas, os intelectuais, todo o povo, a formar conosco na grande cruzada democrática, pela destruição da ditadura de Getúlio Vargas e das velhas oligarquias políticas.

Com as forças democráticas, marcharemos unidos para a Assembleia Nacional Constituinte e para a conquista da democracia.*

1945

---

* Assinaram esse documento: a Comissão Provisória de Organização da União Democrática Socialista — Antonio Candido de Mello e Souza, Antônio Costa Corrêa, Benedito Barbosa, Celso Galvão, Carlos Engel, Eliza Romero, Germinal Feijó, Israel Dias Novais, Jacinto Carvalho Leal, Luís Lobato, Paulo Emílio Sales Gomes, Paulo Zingg, Renato Sampaio Coelho, Rômulo Fonseca. (N. O.)

O intelectual e a política na redemocratização de 1945

MARIA VICTORIA BENEVIDES

"Não deixe de procurar o Paulo Emílio. Ele é quem foi meu líder político. Eu sempre fui seu liderado...", com esse conselho generoso e amigo despediu-se Antonio Candido, numa tarde do verão de 1977, após duas horas recordando momentos de sua atuação política nas lutas contra o Estado Novo. Fora procurá-lo para uma conversa bem específica, queria entender a participação da esquerda paulista — dos socialistas, como ele e Paulo Emílio — nas origens do partido que seria a União Democrática Nacional (UDN), tema de minha pesquisa. Antonio Candido falou-me dos movimentos estudantis na Faculdade de Direito, da "nossa minúscula e lúcida União Democrática Socialista", da Esquerda Democrática e do Partido Socialista, lembrando, com admiração e afeto, a atuação de Paulo Emílio. Minha surpresa aumentou o desejo de seguir o seu conselho. Do professor Paulo Emílio Sales Gomes admirava o talento literário envolto em fina ironia (acabara de ler seu excelente *Três mulheres de três PPPês*) e, principalmente, sua paixão estudiosa pelo cinema brasileiro, o que, no dizer de alguns, chegava às raias do "nacionalismo absurdo". De seu pensamento político conhecia, apenas, a "Declaração" antifascista, na revista *Clima* (1942), e o depoimento na *Plataforma da Nova Geração* (1945). Procurá-lo para falar de política, de história política, se me parecera insólito, tornou-se uma atraente preocupação.

Paulo Emílio recebeu-me em sua sala, na Escola de Comunicações e Artes (ECA), da USP, no dia 19 de março de 1977. Aí lecionava cinema brasileiro. Na Faculdade de Filosofia partilhava com Antonio Candido a disciplina de teoria literária e literatura comparada. Conversamos a manhã toda e Paulo Emílio me fez uma advertência, quando lhe disse que pretendia publicar, em minha futura tese sobre a UDN, algumas de suas declarações (tenho a obrigação de aqui reproduzi-la, para não desvirtuar o sentido desta publicação prévia): "Isso não é uma entrevista, não *é* um depoimento, talvez não seja nem sequer uma conversa lógica. É um amontoado de lembranças — umas que me fazem muito mal, outras que me dão uma enorme alegria — de um tempo em que me parecia mais fácil mudar tudo e tudo reconstruir. Acho que isso *é* um desabafo. Não repare minhas irritações e irreverências. Acho que estou muito impaciente. Sinto uma grande, uma enorme impaciência, ao ver tudo que está por aí. Tem que se fazer alguma coisa".

Paulo Emílio morreu, de coração impaciente, aos 61 anos, na primavera seguinte (setembro). Sucedem-se as homenagens, as lembranças e saudades, as referências bibliográficas. Alguns amigos se propõem a reunir seus inúmeros artigos e republicar seus trabalhos sobre cinema (*Jean Vigo, Humberto Mauro, Cataguases, Cinearte e 70 anos de cinema brasileiro*), assim como os roteiros dos filmes *Memória de Helena* e *Capitu*, este escrito com Lygia Fagundes Telles. Em seu livro *Ideologia da cultura brasileira* (Ática, 1977),* Carlos Guilherme Mota chama a atenção para a postura crítica e realista de Paulo Emílio ao situar o papel dos intelectuais "em suas devidas proporções, como um detalhe no conjunto do processo histórico" (p. 118). O número de *Ensaios de Opinião* (Paz e Terra) de junho de

---

* Edição mais recente: Carlos Guilherme Mota, *Ideologia da cultura brasileira* (1933-1974). 4. ed. São Paulo: Editora 34, 2008. (N. O.)

1978 foi dedicado a Paulo Emílio, intelectual e político, com contribuições de Antonio Candido e outros. Por que trago a público esta conversa, este "desabafo"? Acredito que ela possa evocar, para os velhos amigos de militância e os novos companheiros de esperanças, a presença política de Paulo Emílio, sua lucidez e coragem. A maneira impiedosamente crítica com que ele se refere aos "falsos liberais", com que ele interpreta o momento político da redemocratização em 1945, não deve obscurecer a força viva de sua crença socialista e, sobretudo, a "sua impaciência, sua exigência, para que se faça alguma coisa". Seria bom lembrar, nesses tempos de tentações precipitadas ou ceticismos impenitentes, a frase com que Paulo Emílio lançou, em 1973, a revista *Argumento*: "Contra fato há argumento". Essa é a imagem, de fascinante determinação e bem-humorado idealismo, que guardei de Paulo Emílio. Suas irreverências, suas impaciências, podem ser entendidas como a maneira muito especial pela qual expressava sua feroz (embora às vezes apenas docemente irônica) recusa em conformar-se com a hipocrisia e a sedução dos intelectuais descomprometidos com a história, com o eterno tema da justiça e da liberdade.

Nota de esclarecimento: a entrevista que se segue foi por mim redigida, a partir de extensas notas escritas durante a conversa, e pouco tempo depois revistas por Paulo Emílio. Isso explica o tom informal que procurei conservar o mais fielmente possível. Todas as frases imputadas a terceiros são rigorosamente textuais (aí "tomei ditado"). A mim coube ordenar os assuntos e conferir os nomes próprios. Meus agradecimentos, renovados, ao professor Antonio Candido. A ele devo uma fascinante conversa e uma útil lição.

MV: Gostaria que você me falasse, inicialmente, sobre sua atuação política em São Paulo, como membro do grupo de jovens intelectuais que lutaram contra o Estado Novo e, então, eram aliados dos futuros udenistas.

PE: Em primeiro lugar, vamos deixar de megalomanias saudosistas: que intelectuais são esses de quem você fala, assim tão pomposamente? Intelectuais, como entendemos hoje, com roda de discípulos e obra consagrada, membros de academias e ilustres conselhos, é claro que nós não éramos! Lembre-se que em 1942, 1943, éramos universitários, bacharéis recém-formados, muito ativos e faladores, mas nossa experiência política vinha da intensa luta estudantil contra a ditadura. O contato entre futuros udenistas e futuros socialistas precedeu a criação dos partidos e decorria de acordos sobre táticas e estratégias para *coisas práticas* — isso mesmo, coisas práticas —, de nossa luta comum contra o Estado Novo, transformando-se depois num assunto eleitoral preciso que foi a candidatura do brigadeiro [Eduardo Gomes] à presidência da República. Fazíamos política estudantil como uma expressão menor da política nacional. A Faculdade de Direito do largo de São Francisco polarizava todo o movimento, clandestino ou não. (Aliás, devo dizer que os estudantes do meu tempo eram muito mais reacionários do que os de hoje; lembro-me que quando fui preso — em 1935 —, entre 1500 presos políticos, havia apenas dois estudantes. Hoje, o estudante *é* quase naturalmente um contestador, o que acho ótimo.) Mas o Germinal Feijó poderia ser considerado um "estudante profissional"; era o nosso maior líder e conseguia reunir todos os opositores, dos esquerdistas (socialistas e comunistas) aos liberais, estes armandistas [seguidores de Armando de Sales Oliveira] ou perrepistas [filiados ao Partido Republicano]. Essa distinção é importante para destacar os armandistas dos liberais do PR (Partido Republicano), muito mais ligados ao governo. A trança oligárquica, familiar, era crucial para separá-los; os estudantes armandistas

O INTELECTUAL E A POLÍTICA NA REDEMOCRATIZAÇÃO DE 1945

eram filhos, irmãos, parentes de armandistas históricos, como o Antônio Carlos de Abreu Sodré, os irmãos Mesquita, Júlio Neto e Rui, os filhos de Paulo Nogueira Filho, como o José Bonifácio Coutinho Nogueira, entre outros. O Antônio Carlos parecia-me o mais inteligente desse grupo e era com quem eu tinha os contatos mais frequentes. Os liberais de origens perrepistas que tiveram atuação partidária ingressaram, mais tarde, no PSD ou no PR mesmo. Você pode pensar que é pura implicância minha, mas acho que a maneira burguesa de eles entrarem para o governo, sem parecer uma adesão descarada ao que antes combatiam, foi entrar para o PSD.

MV: Mas esses liberais aceitavam facilmente uma aliança com vocês, da esquerda?

PE: Esse grupo tinha, acima de tudo, ilusões. Achavam sinceramente — e eu acredito que eram sinceros — que eram também "de esquerda". Acontece que a nossa esquerda também aparecia com ares muito liberais, não se identificava, naquela época, como um movimento de ideologia definida. Isso tudo resultava numa ambiguidade muito grande: os liberais se consideravam esquerda e os esquerdistas se consideravam liberais... Mas tudo enquanto o debate se dava em torno de coisas práticas, como já disse, e não de posições ideológicas mais consistentes. Um exemplo de mistura das coisas práticas com as menos práticas: uma das tarefas mais importantes, na época, era ir a Buenos Aires e voltar com notícias dos líderes exilados, Armando de Sales Oliveira e Paulo Nogueira Filho. Temia-se que os chefes se afastassem de nossa linha ou que se compusessem, de alguma forma, com o governo. A pergunta era essa: "Qual a posição ideológica de vocês?". Armando Sales declarava-se de centro-esquerda e Paulo Nogueira Filho mais para o centro.

MV: E os comunistas, como participaram dessa "frente"?

PE: As ligações de membros do nosso grupo (especialmente Germinal Feijó e eu) com os comunistas foram feitas através de "desgarrados" como o Caio Prado Jr., o Mário Schenberg e o Tito Batini. Eles não reconheciam a CNOP (Comissão Nacional de Organização Provisória) como parte integrante do Partido Comunista; achavam que a CNOP era sobretudo um comitê de mobilização, muito policial, e que, além de tudo, se opunha à luta contra nosso maior inimigo, Getúlio Vargas. Assim é que a CNOP, por exemplo, jamais concordou com a denominação que nossa frente procurou dar ao grupo de esquerdistas e liberais: Resistência. Nós ficávamos com o Caio, é claro; de qualquer forma, naquela época, Luís Carlos Prestes ainda era, para nós, um enigma. Desgasta-se o Estado Novo, os acontecimentos se precipitam. Aliás, já que você está pesquisando a UDN, devia acabar com essa mitologia em torno do efeito destruidor da entrevista do José Américo ao *Correio da Manhã*. O Estado Novo caiu de podre; a tal entrevista foi o soco no paralítico de que fala Trótski. Bem, começa a cair a ditadura e chega para nossa ilusão unitária a hora da verdade. Aí começamos a ter reuniões decisivas, nas quais nossas diferenças com os liberais, antes irrelevantes, revelaram-se cruciais. Se a defesa do stalinismo nos separava dos comunistas, a defesa ao capitalismo nos afastava dos liberais. A fase das coisas prioritariamente práticas passara. Mas nós, esquerdistas, desacreditamos mais cedo do esquerdismo dos liberais, do que os liberais do liberalismo da nossa esquerda. O liberal Arrobas Martins, por exemplo, foi o mais lúcido dentre eles e rapidamente percebeu que deveria se afastar da esquerda.

MV: Mas aí então a atuação da esquerda já se dava em nível nacional, nos contatos conspiratórios que desembocaram na criação da frente que seria a União Democrática Nacional, a UDN.

O INTELECTUAL E A POLÍTICA NA REDEMOCRATIZAÇÃO DE 1945

PE: Bem, aí o papel principal foi do Caio, que se dava muito bem com os Melo Franco, Afonso e Virgílio. Aliás, o nome União Democrática Nacional foi sugerido pelo Caio Prado. Acho que foi um verdadeiro tapa na cara da CNOP, que não podia aceitar o termo "democrática" na sigla; eles queriam apenas "União Nacional". Isso gerou uma polêmica danada, o que é compreensível. Lembre-se que, naquela época, os comunistas "desgarrados" eram considerados, teoricamente, pelo menos, democratas; assim como quem era contra os Estados Unidos era tachado de "quinta-coluna"... A participação do Caio nessas conspirações iniciais valeu à UDN, por algum tempo, esse insulto paradoxal — e engraçadíssimo, para quem se lembra do antro de reacionários em que a UDN se tornou! — de estar infiltrada de comunistas.

MV: Você participava desses primeiros encontros conspiratórios com os futuros udenistas?

PE: Participei acompanhando o Germinal Feijó, que era o porta-voz da esquerda paulista não comunista. Aliás, do nosso grupo o Germinal era um verdadeiro líder e o único que conseguia furar o bloqueio elitista e ter contatos efetivos com operários, por exemplo. Participei de reuniões no Rio de Janeiro, no escritório do Virgílio de Melo Franco. O único ponto em comum entre nós todos era a luta contra a ditadura. As discussões giravam em torno das liberdades democráticas que desejávamos ver instauradas após a queda de Getúlio. Aí surgiam as diferenças essenciais. Para nós, da esquerda, liberdades democráticas significavam anistia completa, mas também pluralidade sindical, direito de greve etc. Para aqueles liberais tudo deveria ser matizado, como nessa droga de democracia relativa de que se fala hoje...

MV: Quem eram esses liberais de que você fala? Sei que Virgílio e Afonso Arinos, Luís Camilo de Oliveira Neto, Flores da Cunha, Juraci Magalhães eram, nessa época, alguns dos conspiradores mais ativos do Rio de Janeiro.

PE: O Afonso Arinos parecia-me ainda um diletante na política, e um liberal mais aberto do que seu irmão Virgílio. Lembro-me que, certa vez, Afonso Arinos chegou a defender a candidatura de Luís Carlos Prestes a deputado. Virgílio, realista, respondeu logo: "Não vamos precipitar as coisas". Do oba-oba da confraternização entre esquerda e centro não participava o Luís Camilo. Esse foi um liberal que nunca teve a menor tentação esquerdista; nunca caiu na tentação da frente única. Era de uma rigidez teórica absoluta. Costumava dizer que "ideologia difusa é um erro; tudo deve ser definido desde o começo: cada um do seu lado". Era a maneira fina, "udenista", de lembrar que "cada macaco no seu galho". O Flores da Cunha era totalmente cético e já não tinha a elegância do Luís Camilo, quando gritou sarcástico: "Não acredito mais nesse liberalismo, está ficando socialista". Guardo a impressão de que ele dizia muita bobagem desse tipo, e eu não o levava muito a sério.

MV: Você está falando de udenistas; não resta dúvida de que a UDN formou-se a partir de grupos heterogêneos, quando não antagônicos, e que só tinham em comum o antigetulismo.

PE: Acima de tudo, o grupo não reacionário da primeira UDN era também uma frente essencialmente instável, como não poderia deixar de ser, formada por três elementos: os liberais, porém de origens oligárquicas; a esquerda não comunista e os comunistas "desgarrados". A inviabilidade dessa frente já me aparecia de uma maneira muito clara. Minha opção socialista era radical: só teria sentido um movimento socialista, revolucionário, que repudiasse,

O INTELECTUAL E A POLÍTICA NA REDEMOCRATIZAÇÃO DE 1945

ao mesmo tempo, o comunismo stalinista e a ambiguidade dos partidos socialistas tradicionais (essa sopa rala que é a social-democracia europeia de hoje). O PSOR — Parti Socialiste d'Orientation Révolutionaire — francês, de Marceau Pivert, seria o modelo. Você deve ler a *Plataforma da nova geração*, que foi publicada em suplemento do *Estadão*, com o resumo das posições do nosso grupo na época [1944].

MV: Nessa ocasião você era membro do grupo que se denominaria União Democrática Socialista, com Antonio Candido e outros.

PE: A UDS formou-se apenas em São Paulo, a partir dos grupos clandestinos que agiam desde 1943, principalmente em torno da política estudantil na Faculdade de Direito. Era uma nova frente de resistência à ditadura, que incluía os esquerdistas mais radicais — como o nosso Grap (Grupo Revolucionário de Ação Popular) —, mas também aqueles liberais ligados aos futuros udenistas, até mesmo por interesses classistas, e que eram, então, membros do Partido Acadêmico Libertador. Mas o Manifesto da UDS, lançado em 1945, era politicamente mais radical, tendo como fim imediato a efetiva democratização do país e a instauração do socialismo. Era essa a nossa grande e intransponível diferença com os liberais da futura UDN; por mais que eles fossem contra a ditadura, jamais questionavam o regime capitalista! O programa da UDS apontava como primeiro objetivo a convocação de uma Assembleia Constituinte com eleições livres, o que, assim como os pontos referentes às liberdades democráticas, poderia perfeitamente conciliar liberais e socialistas, pois a prioridade era, evidentemente, a liquidação do Estado Novo e todos os seus instrumentos de repressão. Mas o Manifesto insiste na luta pela instauração do socialismo; a democracia burguesa pode ser uma etapa, é ótima comparada à ditadura, mas nós queríamos a *democracia sem classes*, sem privilégios. O incrível é que apoiávamos a candidatura do brigadeiro! Energúmenos que nós éramos, acreditávamos que a candidatura do brigadeiro Eduardo Gomes fosse essencialmente diferente da candidatura do general Dutra, no sentido de destruir as velhas oligarquias!

MV: É. Basta ver a lista de assinaturas na ata de fundação da UDN para encontrar todos aqueles grandes nomes das antigas oligarquias políticas, mas que, naquele momento, se opunham ao governo e apoiavam o brigadeiro. Artur Bernardes, por exemplo.

PE: Apoiamos o brigadeiro e eu até participei de comícios pró sua candidatura, aqui em São Paulo. Mas as fricções na UDS começaram a se acentuar devido justamente à inviabilidade de uma união mais duradoura com os liberais conservadores. Germinal Feijó lutou pela unidade enquanto pôde e só desistiu definitivamente quando Armando de Sales Oliveira voltou do exílio. Germinal foi visitá-lo — Armando Sales já estava muito doente — e, ao citar alguns membros do grupo, como o Wilson Rahal, ouviu do velho liberal a decepção: "Não vejo nomes paulistas...". Esse escorregão elitista e oligárquico de Armando Sales foi decisivo para o Germinal. E quanto a Armando Sales, creio que uma semana depois de chegado já se compunha com a centro-direita.

O que fazer, então? Para nós era evidente que só o Partido Comunista, entrando na legalidade, teria condições de aglutinar toda a esquerda de base operária. Para nós restava entrar, resignados, na Esquerda Democrática, coisa mais amena, de intelectuais e de classe média. A ED tornou-se linha de apoio da UDN, mas desde o princípio não acreditei na possível convergência. A ideia democrática do pessoal udenista era facciosa: não se podia atacar

O INTELECTUAL E A POLÍTICA NA REDEMOCRATIZAÇÃO DE 1945

uma reunião de integralistas, pelo respeito aos direitos democráticos, por exemplo; mas quando houve perseguição às esquerdas depois da queda de Getúlio, muitos desses mesmos liberais ficaram de acordo. A consciência dos privilégios classistas era odiosa; lembro-me de uma frase do Paulo Nogueira Filho: "Não há como a posição social do indivíduo quando preso pela polícia carioca". Bem, o que não é novidade, até hoje.

A Esquerda Democrática acabou sendo o último vínculo da esquerda socialista com os aliados liberais da primeira hora. Participamos, com a UDN, da campanha do brigadeiro, o que foi uma tremenda burrice, um verdadeiro erro histórico.

MV: Mas você pensava assim naquela época ou esta é sua visão crítica de agora? Afinal a ED se integra, mais tarde, no Partido Socialista.

PE: Da campanha do brigadeiro eu já participei com certo constrangimento. Lembro-me de um comício no Vale do Paraíba, da minha dificuldade em encontrar argumentos para justificar nosso apoio. Ainda por cima eu me sentia ridículo; tinha que falar depois do Aureliano Leite, que abrira o comício elogiando a estirpe do brigadeiro, enfeitando-a, a custo, com o nobre sangue paulista! Era demais! Esse ridículo ranço de falsa aristocracia a UDN nunca perdeu.

MV: Pelo visto você não poupa o brigadeiro, não perdoa a UDN e não acredita no liberalismo daqueles liberais.

PE: O que sabíamos do brigadeiro? Era o herói de 1922, o amigo de Siqueira Campos, o Forte [de Copacabana], aquela coisa toda... Mas, politicamente, era apenas uma esperança. E revelou-se um reacionário quanto às liberdades democráticas que nós queríamos. Por exemplo, ele divergia da ênfase que dávamos à anistia aos presos políticos, insistindo que o importante era defender a ideia da federação. Ideologicamente, o brigadeiro foi um desastre. Seu anticomunismo virulento atraía as simpatias dos setores mais direitistas, embora em 1945 a UDN tenha preferido o apoio da Esquerda Democrática, e não dos integralistas. Mesmo assim a campanha foi para o brejo. Um fato curioso, veja você, o resultado das eleições mostrou exatamente o inverso do êxito dos comícios aqui em São Paulo. O comício do Dutra, na praça da Sé, foi o pior; o do brigadeiro encheu metade do estádio do Pacaembu (lembra das senhoras enchapeladas? Foi assim mesmo); e o do Prestes lotou o estádio... Aliás, é bobagem eu falar isso, pois todo mundo sabia que a eleição não dependeria dos comícios; havia aquela engrenagem toda, a máquina do Getúlio era ainda muito poderosa e eficiente.

A UDN, sim, não dá para perdoar. Com as honrosas exceções de sempre — e eu digo honrosas do ponto de vista moral, pois continuavam estúpidas do ponto de vista político —, a UDN foi o pior que tivemos em matéria de partido político. Foi um câncer histórico, uma trágica ilusão que deu no que deu.

Hoje temos a culminância fatal do que já era a UDN. Um reduto de liberais que nunca se reconciliou com a verdadeira liberdade.

1978

O tempo do pessimismo

Um moderno escritor comunista polonês não perdoa ao stalinismo o ter afastado do comunismo alguns milhões de pessoas. Silone escreveu que a luta final será entre comunistas e ex-comunistas. Porém a enorme legião dos ex-comunistas, homens que perderam uma religião, é extraordinariamente heterogênea. Os que não encontraram substituição vivem à beira do pessimismo; alguns mergulharam na capitulação do anticomunismo levado até as suas últimas consequências.

Durante anos uma figura típica de ex-comunista foi Arthur Koestler. Seu talento de escritor valeu-lhe enorme audiência e suas fraquezas humanas tornaram-no muito representativo. De ano para ano e de livro para livro minguaram-se suas perspectivas históricas, o que o levou à adoção de um pessimismo provisório, transformando-se, segundo suas próprias palavras, num *"short term pessimist"*. Naquela ocasião, em 1944, encontrou um crítico para lhe demonstrar que seu pessimismo o havia levado a um beco sem saída. O crítico era o novelista George Orwell.

No seu ensaio sobre Koestler,[1] Orwell dá uma ideia de suas próprias posições naquele momento. Acreditava na

1 George Orwell, *Critical Essays*. Londres: Secker and Warburg, 1951. (N. A.)

necessidade de restaurar uma crença religiosa sem paraíso ou inferno e aceitando a morte como ponto final. O objetivo social não seria mais a utopia: incapaz de construir um mundo perfeito, o socialismo poderia, no entanto, fazê-lo melhor. "Todas as revoluções são fracassos, mas não são todas o mesmo fracasso", conclui Orwell. Logo depois, em 1945, o novelista inglês publicou *A fazenda dos animais*, fábula satírica sobre a Revolução Russa, cuja conclusão deixava margem para a esperança. Mas cinco anos depois era editado *1984*: haviam morrido todas as esperanças do ex-voluntário do exército do Partido Operário de Unificação Marxista (Poum) na Guerra Civil Espanhola. *1984* é a mais completa e valiosa expressão do pessimismo provocado pelo stalinismo na esquerda europeia.

Diante dos problemas fundamentais dos últimos trinta anos, fascismo e comunismo, Orwell reagia como um escritor da Europa continental marcada por Stálin e Hitler. Não sentia afinidades pela Inglaterra do acadêmico Laski ou do leviano Shaw e de suas confortáveis posições ideológicas. A própria América, representada pelo senador cuja morte recente causou tão boa impressão, vivia melhor as preocupações do autor do que seu país natal. Para descrever, porém, o mundo de *1984*, o modelo principal é naturalmente a Rússia, não só porque até hoje é o país que conheceu o mais aperfeiçoado totalitarismo, mas também porque o que acontecia no mundo soviético era, devido a suas origens revolucionárias e proletárias, mais insuportável para um homem de esquerda do que o acontecido na Alemanha ou anunciado na América, fenômenos afinal de contas burgueses.

A grande força do mundo imaginado por Orwell é a ausência do arbitrário na sua construção. Ele apenas desenvolve logicamente no futuro fenômenos cujo nascimento e crescimento testemunhou. Orwell evita o recurso fácil de nos apresentar diretamente as últimas consequências; o seu mundo terrível ainda está em construção. E

O TEMPO DO PESSIMISMO

esse momento de transição, *1984*, está perto de nós, ao mesmo tempo que se descreve no livro o futuro almejado pela casta dirigente da sociedade e cujas bases já estão solidamente assentadas.

A transposição cinematográfica da obra de Orwell[2] foi feita com a mais honesta das intenções. Os realizadores naturalmente foram obrigados a dar realce à ação central, porém se esforçando em pôr no filme o máximo, mesmo em doses pequenas, do que contém o livro. No entanto, o resultado não é satisfatório e recoloca-se o problema da fidelidade nas adaptações cinematográficas de obras literárias. Levando-se em conta as limitações impostas pela censura ao cinema, não se poderia desejar maior fidelidade formal e direta do que a demonstrada pelos ingleses nesse filme. Seria descabido, por exemplo, exigir que os cineastas nos fornecessem mais do que simples alusões a um tema caro a Orwell: a importância da salvaguarda da liberdade erótica na luta pela defesa da personalidade humana, a ideia oportunamente relembrada de que a moderna e grosseira concepção de libertinagem não deve fazer esquecer que o conceito implica um sentido nobre de liberdade. Não reside aí a falha do filme.

Examinemos a forma pela qual é estabelecida no livro e em seguida no filme a ligação entre o nosso tempo e o mundo de *1984*. Boa parte da novela é dedicada ao estudo do mecanismo de revisão do passado e aos trabalhos de construção de uma nova língua. Familiarizados que estamos com os processos de falsificação correntes no stalinismo, com edições sucessivas das histórias do Partido, da Revolução, da Enciclopédia, de acordo com as concepções oficiais do momento, não nos espanta que no mundo de *1984* todos os impressos antigos, livros, revistas, panfletos ou jornais sejam constantemente revistos e, se necessário, modificados, reimpressos e recolocados nos

2 *1984: O futuro do mundo*, de Michael Anderson. (N. A.)

arquivos de forma a que todas as evidências documentais demonstrem sempre a veracidade das afirmações do líder da classe dominante. Por outro lado, a proliferação das iniciais, das abreviações e de suas combinações diversas em nossos dias já é uma iniciação à novilíngua, a nova língua do futuro cientificamente elaborada em *1984*. E o fato de a literatura política totalitária que conhecemos viver de fórmulas em linguagem empobrecida prepara-nos para compreender o trabalho sistemático de destruição maciça de palavras e o objetivo final da *novilíngua*: redução dos conceitos ao mínimo, tornando impossível outro modo de pensar que não o oficial.

Elementos como a revisão do passado e a novilíngua ao mesmo tempo mostram as raízes de *1984* em nosso tempo e criam, muito mais do que as paisagens urbanas e humanas, a atmosfera onde se desenvolve a ação do livro. No filme há alusões a tudo isso, mas de forma sumária, pois do contrário seríamos arrastados para uma espécie de documentário prejudicial à linha dramática. Porém os dados visuais de atmosfera adquirem tal importância no filme que a ligação com o nosso tempo fica repousando inteiramente em aspectos exteriores, cenas populares de rua, o interior da loja de antiguidades, episódios familiares da vida de uma mulher do povo. Essas imagens são de tal modo nossas contemporâneas que, situadas em *1984*, parecem-nos anacrônicas. A criação paralela de ambientes oficiais num estilo de ficção científica modesto, inspirado no velho impressionismo, não é convincente, e o desenvolvimento da ação nesses quadros sem unidade prejudica singularmente a consistência dramática da fita.

Uma verdadeira fidelidade à obra de Orwell teria exigido dos cineastas mais liberdade na adaptação e maior esforço criador. Era necessária uma procura de situações dramáticas que resumissem alguns temas centrais do livro e que fossem o seu correspondente cinematográfico, fora da fidelidade narrativa. Existe no filme um exemplo da

O TEMPO DO PESSIMISMO

linha que deveria ter sido adotada. Orwell, como outros antes dele, interessou-se pela cumplicidade, ou melhor, pela ambiguidade das relações entre a vítima e o carrasco. Ele "era o algoz, o protetor, o inquisidor, o amigo". No filme há uma cena que não foi tirada do livro, mas que exprime admiravelmente a ideia: quando a vítima sai da célula 101 para cair em pranto nos braços paternais do carrasco.

Em 1957 o livro de Orwell começa a revelar-se como um documento de um tempo de pessimismo que hoje não tem mais tanta razão de ser. Temos mesmo a tentação de procurar na trama de *1984* uma razão de esperar. Afinal, apesar das tentativas de conspiração com membros da casta partidária, a única esperança da vítima sempre foram os "proles", palavra em *newspeak* para designar proletários. As rebeliões dos operários e intelectuais da Hungria e da Polônia rasgaram novas perspectivas. Tornou-se hoje possível o diálogo entre ex-comunistas e comunistas, pelo menos os comunistas que não limitam o seu anti-stalinismo às opiniões de Khruschóv.

Mesmo que a obra de Orwell tenha sido a expressão de um desencanto total, a sua denúncia desesperada do stalinismo e de outros totalitarismos terá contribuído para apressar o fim do tempo do pessimismo.

1957

Carl Foreman e o medo

O desejo de conhecer a verdade é considerado nos momentos de pessimismo como uma noção anacrônica, mas a observação de fatos recentes leva-nos mais uma vez a considerar esse fenômeno como parte da própria natureza humana. Mesmo nos piores momentos da Guerra Fria entre o capitalismo democrático e o comunismo totalitário, nunca deixaram de existir num campo como no outro homens bastante semelhantes, cuja ação era igualmente válida. Para os do primeiro grupo, a procura e a difusão da verdade são essenciais ao mecanismo da democracia e, para os do segundo, são as melhores armas da revolução. A ação de uns e de outros contribuiu em seus terrenos respectivos para dissipar, pelo menos parcialmente, a mistificação, e o principal obstáculo que encontraram foi o mesmo — o medo.

Sem o momento de alívio que sucedeu à morte de Stálin e ao XX Congresso, não poderiam ter surgido à tona os resultados da meditação de Pasternak e Dudintsev ou do pensamento e da ação dos intelectuais e militantes comunistas poloneses. Mesmo nos Estados Unidos, tão mais próximos e onde tudo é mais visível, foi preciso esperar passar a onda macarthista, esgotar-se o período em que o anticomunismo se tornou incomparavelmente mais perigoso para as instituições do que o comunismo, a fim de que se delineasse nitidamente a ação das associações cívi-

CARL FOREMAN E O MEDO

cas e fundações culturais tão especificamente americanas para as quais a procura honesta da verdade é a primeira condição de um clima decente para o cidadão. Entre elas, destaca-se pela sua autoridade The Fund for the Republic, que se dedica a pesquisas em torno das liberdades civis nos Estados Unidos.

Em 1954, o presidente da fundação, Paul G. Hoffman, diante da crescente controvérsia a respeito dos rumos que haviam tomado, notadamente nas indústrias do divertimento, as medidas de proteção contra a infiltração comunista, providenciou um amplo inquérito a respeito do sistema de "listas negras" em execução no rádio, na televisão e no cinema. Dois anos depois os resultados obtidos foram publicados em três alentados volumes. No livro relativo à indústria cinematográfica,[1] mais da metade é dedicada a uma rigorosa descrição dos fatos, feita por John Cogley. O volume contém ainda um excelente ensaio de Dorothy B. Jones, *Communism and the Movies: A Study of Film Content* [Comunismo e cinema: Um estudo dos conteúdos dos filmes], e um exame dos aspectos legais do problema das "listas negras", além de abundantes e esclarecedores apêndices que incluem a lista completa dos filmes nos quais colaborou cada um dos indiciados pela Comissão de Inquérito sobre Atividades Antiamericanas. É possível que a objetividade e a clareza da documentação reunida por The Fund for the Republic tenham contribuído para dissipar a atmosfera de medo e delação que empestou Hollywood durante anos e tenha permitido à indústria cinematográfica aliviar-se das pressões e chantagens de organizações privadas como a American Legion.

Durante os anos em que a vida cinematográfica norte-americana foi abalada por questões políticas, a opinião mundial fixou-se, graças em parte à eficiência da propa-

1 John Cogley, *Report on Blacklisting*. Nova York: The Fund for the Republic, Inc., 1956. v. 1: Movies. (N. A.)

ganda comunista, no episódio que ficou conhecido como o dos "Dez de Hollywood". Como resultado da primeira investigação senatorial, em 1947, um grupo de cineastas, o mais conhecido dos quais era Edward Dmytryk, foi condenado à prisão por "ultraje ao Congresso". Os inquéritos sucessivos não tiveram uma conclusão tão sensacional, mas seus efeitos foram incomparavelmente mais amplos e profundos, e certamente contribuíram para o desmantelamento da indústria cinematográfica, cuja causa primeira foi o desenvolvimento da televisão. Centenas de técnicos, artistas e escritores foram afastados definitivamente ou tiveram de se submeter a degradantes exigências de comissões legislativas ou privadas.

O caso de Marsha Hunt foi característico. Como nunca participara de grupos ou associações com coloração política, não se exigiu que fornecesse as habituais listas de nomes. Assinara, porém, petições em favor dos "Dez de Hollywood" ou de companheiros de profissão acusados, como John Garfield ou Lewis Milestone, e isso foi suficiente para ter seu nome na imprensa anticomunista especializada e automaticamente colocado nas "listas negras" da TV e do cinema. Como tantos outros, ela foi convidada, para poder ganhar a vida, a percorrer o penoso caminho da "reabilitação". Não foi suficiente afirmar por escrito que nunca fora comunista. Desejavam que se declarasse arrependida das atitudes em favor dos colegas, reconhecendo agora que isso significava uma ajuda ao comunismo. Tratava-se na realidade de acusar indiretamente os outros signatários das petições. Ela sugeriu aos inquisidores uma alternativa no condicional, isto é, declarar publicamente que se os documentos que assinara tivessem significado um auxílio à causa comunista, se arrependia de tê-lo feito. A variante não foi aceita, a dignidade de Marsha Hunt não lhe permitiu conceder mais, e enquanto durou a *caça às bruxas* a atriz teve sua carreira truncada tanto no cinema como na televisão. Resistências como essas não foram muito frequentes. O temor exerceu uma ação deletéria, e durante algum tempo a atmosfera moral de Hollywood tornou-se irrespirável.

A observação do ambiente americano da época levou Carl Foreman a se interessar, como roteirista e coprodutor, pela realização da fita *Matar ou morrer*, cujo assunto é precisamente o medo de toda uma comunidade. Sem que houvesse relação de causa e efeito, logo que a fita ficou pronta, convocaram Foreman a comparecer diante da comissão de inquérito do Senado. Limitou-se a declarar que não era membro do Partido Comunista, recusou-se a responder qualquer outra pergunta, teve a sua carreira cortada na América e se encontra há seis anos na Inglaterra, onde ultimamente escreveu e produziu *A chave*, fita dirigida por Carol Reed.

Numa recente entrevista para a revista *Sight and Sound*,[2] Foreman revela-se ideologicamente sobretudo como um nostálgico da mocidade. Nos anos 1930, nos tempos da luta entre a democracia e o fascismo, tudo lhe parecia claro, e a escolha, simples. Atualmente, considera como aniquilados os valores em que acreditava e sente-se perdido num "tempo de grande medo e muita confusão".

O trabalho para a realização de *Matar ou morrer* e a experiência pessoal na comissão de investigações levaram Foreman a se interessar profundamente pelo problema do medo. Ele sente que os homens são envolvidos pelo temor desde o nascimento. Quando crianças, tentamos ansiosamente esquecer os terrores de cada momento e depois de adultos continuamos a agir da mesma maneira, porque os outros também fingem não ter medo. Na maturidade, não se trata propriamente do medo físico, mas de um sentimento mais sutil que afeta nossa vida e nossa maneira de pensar e que nos leva a compromissos e capitulações

2 Penelope Houston e Kenneth Cavander, "Interview with Carl Foreman". *Sight and Sound*, Londres, v. 27, n. 5, verão 1958. (N. A.)

desnecessários se a ele não reagirmos. Esse estado de espírito afeta tanto as comunidades quanto os indivíduos, é como se fosse uma lei da existência. O problema para o indivíduo não é fingir, mas, sim, lutar contra o medo. Em *Matar ou morrer*, Foreman havia localizado o assunto pelo contraste entre o comportamento do herói e o da coletividade paralisada pelo temor. Na mesma ocasião foi testemunha e vítima da delação, isto é, da traição causada pelo medo. Em *A chave* ele procura estudar o problema sob um ângulo mais íntimo, o de um indivíduo que se trai a si próprio através do medo.

Matar ou morrer era um faroeste, *A chave* é um filme de guerra; é uma obra em que a atmosfera e os personagens pertencem ao que há de mais familiar e convencional no cinema, mas onde o drama desenvolvido é de natureza puramente moral. A julgar pela crítica da revista *Time* e por um artigo de Basil Wright, os americanos e ingleses reconheceram em *A chave* todas as sutilezas de Carl Foreman e Carol Reed, com a exceção de uma única: a presença do tema do medo.

1958

Go home, Tarzan!

Eu achei graça, há alguns anos, quando porta-vozes oficiais de países africanos condenaram solenemente as fitas de Tarzan. Pareceu-me um pouco patusca essa preocupação por parte de nações cuja jovem independência suscitava toda uma problemática séria e estimulante. "E eles vão logo cuidar de Tarzan", pensava eu, meio encabulado.

Devo dizer que fazia muito tempo que não via fita de Tarzan. O do meu tempo ainda era o nadador olímpico Johnny Weissmuller e, depois dele, pelo menos dois, talvez três atletas já compareceram com músculos e cara, esta última sempre um pouco apalermada, para interpretar o personagem nascido na subliteratura e destinado à longa permanência na *jungle* do subcinema. Escrevi subcinema e já estou arrependido de estar introduzindo essas hierarquias. Ou então eu deveria explicar melhor essa categoria de subcinema com o risco de me lançar à interminável enumeração de nomes de fitas e gentes que mais do que o próprio e inocente Tarzan são merecedoras de opróbrio. Enfim, inocente Tarzan em termos. Como eu dizia, a última vez que vira fita dele, faz mesmo muito tempo.

Pois outro dia era Tarzan que me esperava, cheio de saúde, rejuvenescido, com mulher e filho, na sala de cinema onde me levaram quarenta minutos soltos entre dois compromissos. Nosso encontro não durou nem isso, mas a meia hora que passei com a família Tarzan foi mais do que suficiente para o renascimento da antiga intimidade. Só que eu a experimentei agora com sentimentos mais vívidos e saí dando carradas de razão aos políticos africanos que se insurgiram contra Tarzan.

Saí escandalizado do cinema. A bem da verdade, deve ser declarado que é bastante fácil me escandalizar. Mas havia de quê. Senão, vejam a situação. Como todos sabem, Tarzan vive na África, ou em África, como dizem os portugueses, salazaristas ou não. É difícil imaginar maior integração com a flora e a fauna do que a conseguida por Tarzan. Sua adequação atinge tais limites que transforma harmoniosamente em seu contrário noções que para nós são familiares e ásperas. Cipó para nós evoca logo cipoal, mas, para Tarzan, é sereno e aéreo meio de transporte, ágil e fácil como nossa fantasia. A natureza das plantas e dos bichos está toda a seu serviço. A palavra serviço não se acomoda ao caso. Tarzan não impõe nada, aos animais ou às flores. Trata-se simplesmente da fruição amável e coletiva do existir. Nem sequer sua forma de expressão Tarzan impõe aos bichos: com os elefantes ou com os outros ele dialoga sempre em suas respectivas linguagens. A única língua que Tarzan encontrou dificuldade em aprender foi o inglês. O vocabulário com que ele se entende com a macaca Chita é evidentemente mais rico e elaborado do que aquele que utiliza com sua companheira Jane ou com Boy. Até aqui está tudo ótimo.

Além do quê, Tarzan é simples, puro, bom. Os valores de sabedoria e retidão que representa se encontram gravemente corrompidos no mundo civilizado. Mas Tarzan vai a Nova York, onde, depois de alguns mal-entendidos, acaba prestando homenagem à justiça norte-americana: "*Justice good! Juge good!*".

Em suma, o universo tarzaniano é dos melhores possíveis. Pensando e procurando bem, só há nele um elemento negativo, uma coisa irremediável, uma fonte de conflitos insolúveis. Esse elemento, essa coisa, essa fonte são os africanos. Se não fossem os negros africanos, Tarzan prolongaria sem obstáculos e para sempre, na companhia de Jane, Boy, Chita, dos elefantes e dos cipós, o florescimento sem fim de sua branquitude.

Se eu, brasileiro embranquecido, fiquei indignado, imagine os africanos!

1963

A nossa desimportância

Os fenômenos propriamente políticos não conseguem mais solicitar a minha curiosidade. Atribuo isso à maneira superficial com que acompanhei os acontecimentos que dos fins de março a esta parte foram levados tão a sério no país e no estrangeiro. Tive desde logo a impressão, confirmada nas primeiras semanas posteriores ao epílogo militar do episódio, de que nada de fundamental estava em jogo.

Foi, pois, sem a menor surpresa que constatei a nenhuma influência da crise de março e abril no único terreno que acompanho de perto, o da problemática do cinema brasileiro.

Tudo o que estava em curso continuou a caminhar no ritmo habitual, lento e laborioso. Em matéria de cinema, o que sucedia de importante até os fins de março de 1964 era o trabalho da Comissão Parlamentar de Inquérito (CPI), que já havia alguns meses investigava pacientemente as modalidades de fabricação e de importação de filmes. Isso por um lado. Por outro, o que provocava a nossa curiosidade eram os filmes realizados, sobretudo, por jovens cariocas e baianos — e excepcionalmente um paulista, como Walter Hugo Khouri —, que haviam estreado havia dois ou três anos levantando a bandeira ambiciosa e prometedora do Cinema Novo.

Depois de abril tudo continuava exatamente nos mesmos termos. De importante permanecia o trabalho da CPI e a expectativa em torno das fitas novas de Glauber Rocha, Ruy Guerra, Carlos Diegues, Paulo César Saraceni, Leon

Hirszman e, sempre numa perspectiva artística singular, Walter Hugo Khouri.

Tem gente que acha isso um mau sinal. Afirmam que o fato de a conjuntura global da nação possuir tão pouca incidência sobre a cinematografia brasileira significou a pequena ou nenhuma importância desta última. Nós, cinema brasileiro, seríamos tão pouco no rol das coisas que, aconteça o que acontecer, continuamos na mesma trilha de probleminhas irresolutos e irresolvidos que em última análise só a nós apoquenta.

Há um pouco disso, mas há muito que não tem nada a ver com isso. Não resta dúvida de que a nossa pouca importância nos deixa à margem dos acontecimentos. Eu compreendo o estado de espírito dos que se enciúmam em ver que a opinião, e eventualmente a polícia política, se interessam pelo que se passa no mundo teatral, radiofônico e televisionado das grandes capitais brasileiras e nem sequer tomam conhecimento da existência do cinema brasileiro. Das dezenas e milhares dos que em todo o Brasil foram convocados para depor, presos para investigações, se asilaram em embaixadas ou atravessaram a fronteira, ou que tiveram cassados seus direitos políticos, não constam nomes vinculados ao cinema brasileiro. Os bons espíritos poderiam imaginar que a corporação cinematográfica nacional fosse menos subversiva ou corrupta do que outras, mas ao que tudo indica não é disso que se trata. Tudo se explica, *hélas!*, pela nossa desimportância. Como em toda parte, surgiram também no ambiente cinematográfico os auxiliares benévolos da polícia política, mas se aqui a boa vontade dos alcaguetes não teve consequências, não é, como se gostaria de pensar, que também como policiais amadores não fossem levados a sério. A polícia estava ocupadíssima, era obrigada a agir segundo um critério de prioridade, e não teve tempo para perdê-lo com o cinema brasileiro.

1964

A chinesa

Procuro entender por que tanta gente encontra dificuldades com *A chinesa*. Minha hipótese de trabalho é a de que são necessárias três condições para uma pessoa gostar do filme:

a) gostar muito de conversa;
b) gostar profundamente de teatro;
c) gostar razoavelmente de política.

a) A Conversa. Eu ainda ensinava na Universidade de Brasília quando adquiriu volume o interesse pelos filmes baseados em entrevistas. Meus alunos e eu não nos satisfazíamos com as denominações dadas ao método, "cinema verdade" ou "cinema direto". Acabamos decidindo que "cinema-conversa" seria a designação mais apropriada. Nosso entusiasmo por *Integração racial* foi grande e, quando o realizador desse documentário, Paulo César Saraceni, lançou *O desafio*, foi muito bom encontrar num filme de ficção aquela interminável conversa política, na sequência da redação da revista.

Esse cinema nos atraía muito porque estávamos convencidos do fascínio que encerra o simples registro de uma pessoa que fala e cuja fluência ou constrangimento sejam igualmente espontâneos. Espontaneidade documental ou ficcional, pouco importa. É fácil sentir como esse gênero de fala, sem comprometimento dramático definido e imediato, se opõe ao diálogo habitual.

A chinesa espera de nós que encontremos prazer em ser espectadores de conversa, sem obrigação ou desejo de interferir. Nosso gosto já se encontra, aliás, apurado pelas múltiplas experiências do cotidiano: as linhas telefônicas cruzadas, as conversas ouvidas nas filas, nos ônibus, nos cafés e balcões.

b) O Teatro. O moderno espetáculo teatral nos obriga cada vez mais a refletir sobre sua natureza, pois deliberadamente se desagrega diante de nossos olhos... O teatro não pretende mais enganar ninguém. É através do desengano que procura nos atingir. É um jogo claro com regras expostas. *A chinesa* espera que essa experiência tenha nos preparado para vê-la. Não é à toa que Godard se interessa especialmente pelo destino de Guillaume, o ator, e que durante as conversas se fale tanto em teatro. *A chinesa* vai mais fundo, porém. As passagens dramaticamente mais eficazes, como a sequência da Guerra do Vietnã, decorrem da profunda sacudidela sofrida pelo teatro. Essa subversão fez vir novamente à tona, em toda sua pureza, os dados simples e essenciais do jogo teatral. É um jogo, uma brincadeira, e precisamente por ser tão infantilmente "de mentira" é que nos atinge tanto o lamento de Yvonne: "Socorro, sr. Kossiguin, socorro...".

c) A Política. Nesse terreno, o noticiário a respeito da França constitui um preparo até excessivo para o espectador de *A chinesa*. O filme tornou-se tão atual que o público se inclina a levar um pouco a sério demais, como revolucionários, aqueles jovens que tanto falaram e ocasionalmente mataram ou se mataram.

Como também não são fundamentais tantos outros nomes, imagens, citações e o próprio cinema, o tal famoso Cinema com C maiúscula com o qual *A chinesa* nada tem que ver. Que alívio!

1968

Amigos e amigos

O mundo cinematográfico tem a reputação de ser fantasioso, incoerente e inconsequente. Essa imagem tem sua razão de ser e é fácil entendê-la. O cinema não é (era) apenas uma fábrica de ilusões. Pensando bem, o principal produto da fábrica é a própria fábrica. Hollywood, como centro industrial, forneceu tanto alimento à pobre fantasia do mundo quanto as fitas que lá se faziam. A conjunção de artistas, publicitários, produtores e cronistas delineava uma fisionomia móvel, variada e confusa em condições de satisfazer uma universal e heterogênea solicitação. A imagem do cinema tinha mesmo que ser incoerente e inconsequente.

Tudo isso, porém, pertence cada vez mais ao passado. A seriedade não é necessariamente um bom sinal, mas não resta dúvida de que a face pública do mundo cinematográfico está se tornando cada vez mais equilibrada e austera.

Um bom momento para se observar o fenômeno foi a recente crise que a União Soviética desencadeou ao invadir a Tchecoslováquia. Personalidades e grupos cinematográficos de todo o mundo se manifestaram a respeito do assunto. O que caracterizou o movimento foi sua espontânea homogeneidade. O denominador comum de toda a gente cinematográfica que protestou foi um "sentimento de esquerda", que engloba desde liberais preocupados com o progresso social até os partidários do rejuvenescido

AMIGOS E AMIGOS

anarquismo, percorrendo o amplo leque de cristianismo, socialismo e comunismo nos diversos matizes atualmente em curso. Cada cineasta que levantou a voz tinha motivos justificados de se apresentar como amigo do regime socialista da Tchecoslováquia. O movimento foi sincero, coerente, limpo.

O universo cinematográfico não se compõe apenas de pessoas nutridas por sentimentos de esquerda, muito pelo contrário. Os atrasados, conservadores, e até fascistas, constituem provavelmente a maior parte da corporação cinematográfica mundial. Essa maioria teve um comportamento diante da crise que me pareceu correto. Escolhendo um exemplo ilustre, direi que seria estranho e contraproducente ver o ator John Wayne — inimigo militante de todas as causas progressistas dos Estados Unidos — vir a público declarar seu súbito amor pelo regime socialista da Tchecoslováquia. Não é preciso, porém, procurar tão alto e tão longe. Causaria um cômico estupor ver sair à liça em defesa da esquerda tcheca aqueles cronistas cinematográficos brasileiros que tantas vezes se metamorfoseiam em policiais do antiesquerdismo.

Pois bem. O que em cinema provocaria espanto e incredulidade constituiu-se em norma nos meios jornalísticos e políticos, pelo menos no Brasil. Da noite para o dia, surgiram os mais inesperados amigos do socialismo ameaçado na Tchecoslováquia. Os órgãos que se empenham em provocar o pânico conservador; nossos militares mais atrasados; os escritores retrógrados, do digno Gustavo Corção ao cafajeste Nelson Rodrigues; as sociedades protetoras da tradição; todos se levantaram indignados em defesa do comunismo tal como estava sendo praticado na Tchecoslováquia.

Política é política, dirão eles. Perdem, porém, de vista que, se conseguissem realmente se apresentar aos olhos da opinião como os verdadeiros amigos do socialismo tchecoslovaco, estariam automaticamente dando força de verdade às alegações mentirosas dos russos e justificando a agressão.

1968

Cinema:
Trajetória no subdesenvolvimento

O cinema norte-americano, o japonês e, em geral, o europeu nunca foram subdesenvolvidos, ao passo que o hindu, o árabe ou o brasileiro nunca deixaram de ser. Em cinema, o subdesenvolvimento não é uma etapa, um estágio, mas um estado: os filmes dos países desenvolvidos nunca passaram por essa situação, enquanto os outros tendem a se instalar nela. O cinema é incapaz de encontrar dentro de si próprio energias que lhe permitam escapar à condenação do subdesenvolvimento, mesmo quando uma conjuntura particularmente favorável suscita uma expansão na fabricação de filmes.

É o caso da Índia, com uma produção das maiores do mundo. As nações hindus possuem culturas próprias de tal maneira enraizadas que criam uma barreira aos produtos da indústria cultural do Ocidente, pelo menos como tais: os filmes americanos e europeus atraíam moderadamente o público potencial, revelando-se incapazes de construir por si um mercado. Abriu-se assim uma oportunidade para os ensaios de produção local, que durante décadas não cessou de aumentar, e em função da qual teceu-se a rede comercial da exibição. Teoricamente a situação era ideal: uma nação ou um grupo de nações com cinema próprio. Tudo isso ocorria, porém, num país subdesenvolvido, colonizado, e essa atividade cultural, aparentemente tão estimulante, na realidade refletia e aprofundava um estado cruel de subdesenvolvimento.

Farei abstração aqui do papel do capital metropolitano inglês na florescência do cinema hindu, para só me deter na significação cultural do fenômeno. Pelos assuntos abordados, o filme hindu permanece fiel às tradições artísticas do país, e o ritmo majestoso com que são tratadas — notadamente quando os temas são mitológicos — eventualmente confirma essa impressão. A raiz mais poderosa dessa produção é, entretanto, constituída por ideias, imagens e estilo já fabricados pelos ocupantes para consumo dos ocupados. O manancial de onde derivam os filmes hindus em nosso século foi fabricado nas últimas décadas do XIX pela indústria gráfica inglesa — e respectiva literatura — através da vulgarização de uma alta tradição plástica, de espetáculo e literária. A massa de oleogravuras e textos, impregnada pelo culto da "Mother India", raramente escapa do mais conformista e esterilizante comercialismo, herdado tal qual pelos filmes produzidos no país. Os cineastas hindus que depois da independência procuram reagir contra a tradição coagulada pela manipulação do ocupante se voltam necessariamente para temas e ritmos inspirados pelo cinema estrangeiro. O esforço de progresso apenas cultural num quadro de subdesenvolvimento geral leva os cineastas a se debaterem diante da adversidade, ao invés de realmente combatê-la.

No Japão, que não conheceu o tipo de relacionamento exterior que define o subdesenvolvimento, o fenômeno cinematográfico foi totalmente diverso. Os filmes estrangeiros conquistaram de imediato uma imensa audiência e foram de início o estímulo principal na estruturação do mercado consumidor do país. Essa produção de fora era, no entanto, por assim dizer, japonizada pelos *benshis* — os artistas que comentavam oralmente o desenrolar dos filmes mudos —, que logo se transformaram no principal atrativo do espetáculo cinematográfico. Na verdade, o público japonês também nunca aceitou o produto cultural estrangeiro tal qual, isto é, os filmes mudos apenas com os letreiros traduzidos. A produção nacional, ao se desenvolver, não encontrou dificuldades em predominar, principalmente depois da chegada do cinema falado que dispensou a atuação dos *benshis*. Diferentemente do que ocorreu na Índia, o cinema japonês foi feito com capitais nacionais e se inspirou na tradição, popularizada mas direta, do teatro e da literatura do país.

No mundo do cinema subdesenvolvido, o fenômeno árabe — que foi inicialmente sobretudo egípcio — não possui a nitidez do hindu. Nos países norte-africanos e do Oriente Próximo a carapaça de cultura própria também não foi propícia ao alastramento do filme ocidental, mas o resultado aqui foi um desenvolvimento da exibição incomparavelmente mais lento do que na Índia. O pouco interesse pelo filme ocidental não foi acompanhado no mundo árabe pelo florescimento da produção local. A penetração imperial tendeu naturalmente a fornecer ao habitante dessas regiões uma ideia de si próprio adequada aos interesses do ocupante. Se aqui isso não levou à criação de um cinema equivalente ao hindu, deve-se provavelmente à tradição anti-icônica nas culturas derivadas do Alcorão. A indústria cultural do Ocidente encontrou escassa imagem original para servir de matéria-prima na produção de *ersats* destinados aos próprios árabes. A fabricação de imagem árabe foi intensa, mas destinada ao consumo ocidental: o modelo nunca se reconheceu. O eixo do espetáculo corânico — mesmo dançado — é o som, e o cinema árabe só se desenvolveu realmente a partir do falado. O cinema islâmico à primeira vista parece mais subdesenvolvido do que o da Índia. Está muito longe de ser presença dominante inclusive nas salas do Egito e do Líbano, os principais produtores, mas em compensação é provável que sua economia seja mais independente. Como suas matrizes não são as oleogravuras exóticas de fabricação europeia, mas a técnica fotográfica do Ocidente — através da qual os árabes acabaram por aceitar a imagem como componente de sua autovisão —, os filmes egípcios e dos outros países árabes tomaram diretamente como modelo a produção ocidental. Parecem menos autênticos do que os hindus, mas a natureza do vínculo com o espectador é a mesma: dentro da maior ambiguidade e amesquinhados pela impregnação imperial, uns e outros asseguram a fidelidade do público por refletirem, mesmo palidamente, a sua cultura original.

Essa evocação de alguns traços das situações cinematográficas subdesenvolvidas mais importantes do mundo pode servir de introdução útil à nossa. A diferença e a parecença nos definem. A situação cinematográfica brasileira não possui um terreno de cultura diverso do ocidental onde possa deitar raízes. Somos um prolongamento do Ocidente, não há entre ele e nós a barreira natural de uma personalidade hindu ou árabe que precise ser constantemente sufocada, contaminada e violada. Nunca fomos propriamente ocupados. Quando o ocupante chegou, o ocupado existente não lhe pareceu adequado e foi necessário criar outro. A importação maciça de reprodutores, seguida de cruzamento variado, assegurou o êxito na criação do ocupado, apesar de a incompetência do ocupante agravar as adversidades naturais. A peculiaridade do processo, o fato de o ocupante ter criado o ocupado aproximadamente à sua imagem e semelhança, fez deste último, até certo ponto, o seu semelhante. Psicologicamente, ocupado e ocupante não se sentem como tais: de fato, o segundo também é nosso e seria sociologicamente absurdo imaginar a sua expulsão, como os franceses foram expulsos da Argélia. Nossos acontecimentos históricos — Independência, República, Revolução de 1930 — são querelas de ocupantes nas quais o ocupado não tem vez. O quadro se complica quando lembramos que a metrópole de nosso ocupante nunca se encontra onde ele está, mas em Lisboa, Madri, Londres ou Washington. Aqui apontaria algum parentesco entre o destino hindu

CINEMA: TRAJETÓRIA NO SUBDESENVOLVIMENTO 127

ou árabe e o nosso, mas a luz que o seu aprofundamento lançaria sobre os respectivos cinemas seria indireta demais. Basta por ora atentar para a circunstância de o emaranhado social brasileiro não esconder, para quem se dispuser a enxergar, a presença em seus postos respectivos do ocupado e do ocupante.

Não somos europeus nem americanos-do-norte, mas destituídos de cultura original, nada nos é estrangeiro, pois tudo o é. A penosa construção de nós mesmos se desenvolve na dialética rarefeita entre o não-ser e o ser-outro. O filme brasileiro participa do mecanismo e o altera através de nossa incompetência criativa em copiar. O fenômeno cinematográfico no Brasil testemunha e delineia muita vicissitude nacional. A invenção nascida nos países desenvolvidos chega cedo até nós. O intervalo é pequeno entre o aparecimento do cinema na Europa e na América do Norte e a exibição ou mesmo a produção de filmes entre nós nos fins do século xix. Se durante aproximadamente uma década o cinema tardou em entrar para o hábito brasileiro, isso foi devido ao nosso subdesenvolvimento em eletricidade, inclusive na capital federal. Quando a energia foi industrializada no Rio, as salas de exibição proliferaram como cogumelos. Os donos dessas salas comerciavam com o filme estrangeiro, mas logo tiveram a ideia de produzir, e assim, durante três ou quatro anos, a partir de 1908, o Rio conheceu um período cujo estudioso Vicente de Paula Araújo não hesita em denominar "a bela época do cinema brasileiro".* Decalques canhestros do que se fazia nas metrópoles da Europa e da América, esses filmes em torno de assuntos que no momento interessavam à cidade — crimes, política e outros divertimentos — não eram fautores de brasilianismos apenas

* Paulo Emílio teve acesso aos originais do livro *A bela época do cinema brasileiro*, de Vicente de Paula Araújo, que seria publicado em 1976 pela editora Perspectiva. (N. O.)

na escolha dos temas, mas também na pouca habilidade com que era manuseado o instrumental estrangeiro. As fitas primitivas brasileiras, tecnicamente muito inferiores ao similar importado, deviam aparecer com maiores atrativos aos olhos de um espectador ainda ingênuo, não iniciado no gosto pelo acabamento de um produto cujo consumo apenas começara. O fato é que nenhum produto importado conheceu no período o triunfo de bilheteria deste ou daquele filme brasileiro sobre crime ou política, sendo de anotar que o público assim conquistado incluía a intelligentsia que circulava pela rua do Ouvidor e pela recém-inaugurada avenida Central. Essa florescência de um cinema subdesenvolvido necessariamente artesanal coincidiu com a definitiva transformação, nas metrópoles, do invento em indústria, cujos produtos se espalharam pelo mundo suscitando e disciplinando os mercados. O Brasil, que importava de tudo — até caixão de defunto e palito —, abriu alegremente as portas para a diversão fabricada em massa, e certamente não ocorreu a ninguém a ideia de socorrer nossa incipiente atividade cinematográfica.

O filme brasileiro primitivo foi rapidamente esquecido, rompeu-se o fio, e nosso cinema começou a pagar o seu tributo à prematura e prolongada decadência tão típica do subdesenvolvimento. Arrastando-se na procura da subsistência, tornou-se um marginal, um pária numa situação que lembra a do ocupado, cuja imagem refletiu com frequência nos anos 1920, provocando repulsa ou espanto. Esse tipo de documento, quando verdadeiro, nunca é belo, e tudo ocorria como se a inabilidade do cinegrafista concorresse para revelar a dura verdade que traumatizou não só os cronistas liberais da imprensa carioca, mas também um conservador como Oliveira Viana. Essas imagens da degradação humana afloravam também nos filmes de enredo que iam sendo produzidos ocasionalmente e que vez ou outra obtinham exibição normal graças à complacência, sempre passageira, do comércio

CINEMA: TRAJETÓRIA NO SUBDESENVOLVIMENTO 129

norte-americano. Era pela força das coisas que essas fitas se mostravam contundentes, pois os denodados lutadores do filme brasileiro que surgiram na era do mudo se esforçavam em impedir a imagem da penúria, substituída pela fotogenia amável de inspiração norte-americana.

Logo após o estrangulamento do primeiro surto cinematográfico brasileiro, os norte-americanos varreram os concorrentes europeus e ocuparam o terreno de forma praticamente exclusiva. Em função deles e para eles o comércio de exibição foi renovado e ampliado. Produções europeias continuaram a pingar, mas durante as três gerações em que o filme foi o entretenimento principal, cinema no Brasil era fato norte-americano e, de certa forma, também brasileiro. Não é que tenhamos nacionalizado o espetáculo importado, como os japoneses o fizeram, mas acontece que a impregnação do filme americano foi tão geral, ocupou tanto esforço na imaginação coletiva de ocupantes e ocupados, excluídos apenas os últimos estratos da pirâmide social, que adquiriu uma qualidade de coisa nossa na linha de que nada nos é estrangeiro, pois tudo o é. A amplíssima satisfação causada pelo consumo do filme americano não satisfazia, porém, o desejo de ver expressa uma cultura brasileira que, sem ter uma originalidade básica — como a hindu ou a árabe — em relação ao Ocidente, fora se tecendo com características próprias indicativas de vigor e personalidade. A penetração do cinema amesquinhou muito as artes do espetáculo tradicionalmente tão vivas em todo o país, mas elas sempre encontraram meios de permanecer, o que faz pensar que correspondem a necessidades profundas de expressão cultural. A chegada do rádio deu novo alento às formas ou elementos sonoros dessas artes. Na primeira oportunidade que se ofereceu, a cultura popular violou o monopólio norte-americano e se manifestou cinematograficamente. Por ocasião da implantação do cinema falado, que coincidiu com a grande crise de Wall Street, houve um transitório alívio da presença norte-americana, seguido imediatamente pelo renascimento de nossa produção. Durante cerca de dois anos a cultura caipira, originalmente comum a fazendeiros e colonos e de larga audiência nas cidades, tomou forma cinematográfica, o mesmo sucedendo com nossa expressão musical urbana. Esses filmes tiveram imensa audiência em todo o Brasil, mas em breve as coisas cinematográficas do país voltaram ao eixo norte-americano, e o cinema brasileiro mais uma vez pareceu morrer, isto é, retornou à condição de marginal rejeitado apesar da qualidade artística crescente de algumas de suas obras da década de 1930. A obrigatoriedade de exibição forneceu uma base sólida para a produção de filme curto documental, destituído agora da função reveladora que anteriormente o caracterizara tão agudamente. Continuou em todo caso a refletir com melancolia a área do ocupante, notadamente as cerimônias oficiais. De uma maneira geral, entretanto, o cinema falado foi, mais do que o mudo, propício à expressão nacional.

O fenômeno cinematográfico que se desenvolveu no Rio de Janeiro a partir dos anos 1940 é um marco. A produção ininterrupta durante cerca de vinte anos de filmes, musicais e de chanchada, ou a combinação de ambos, se processou desvinculada do gosto do ocupante e contrária ao interesse estrangeiro. O público plebeu e juvenil que garantiu o sucesso dessas fitas encontrava nelas, misturados e rejuvenescidos, modelos de espetáculo que possuem parentesco em todo o Ocidente, mas que emanam diretamente de um fundo brasileiro constituído e tenaz em sua permanência. A esses valores relativamente estáveis os filmes acrescentavam a contribuição das invenções cariocas efêmeras em matéria de anedota, maneira de dizer, julgar e de se comportar, fluxo contínuo que encontrou na chanchada uma possibilidade de cristalização mais completa do que anteriormente na caricatura ou no teatro de variedades. Quase desnecessário lembrar que essas obras, com passagens rigorosamente antológicas, traziam, como seu público, a marca do mais cruel subdesenvolvimento; contudo, o acordo que se estabelecia entre elas e o espectador era um fato cultural incomparavelmente mais vivo do que o produzido até então pelo contato entre o brasileiro e o produto cultural norte-americano. Neste caso o envolvimento era inseparável da passividade consumidora, ao passo que o público estabelecia com o musical e a chanchada laços de tamanha intimidade que sua participação adquiria elementos de criatividade. Um universo completo se construía pela sucessão de filmes norte-americanos, mas a absorção feita através do distanciamento o tornava abstrato, enquanto os fragmentos irrisórios de Brasil propostos por nossos filmes delineavam um mundo vivido pelos espectadores. A identificação provocada pelo cinema americano modelava formas superficiais de comportamento em moças e rapazes vinculados aos ocupantes; em contrapartida, a adoção, pela plebe, do malandro, do pilantra, do desocupado da chanchada, sugeria uma polêmica de ocupado contra ocupante.

O eco do lucro alcançado por essa produção carioca despretensiosa e artesanal teve, nos primórdios de 1950, um papel determinante na tentativa paulista de um cinema mais ambicioso no nível industrial e artístico. Alguns motivos do malogro são claros. Os produtores cariocas eram comerciantes da exibição, e a conjuntura criada nos anos 1940 lembrava a bela época do cinema brasileiro no começo do século. Os empresários paulistas que se lançaram à aventura vinham de outras atividades e nutriam a ilusão ingênua de que as salas de cinema existem para passar qualquer fita, inclusive as nacionais. Culturalmente, o projeto foi igualmente desastrado. Não reconhecendo a virtude popular do cinema carioca, os paulistas resolveram — encorajados por quadros técnicos e artísticos chegados recentemente da Europa — colocar o filme brasileiro num rumo totalmente diverso daquele que estava seguindo de maneira tão estimulante. Quando descobriram, mais ou menos ao acaso, o veio do cangaço ou apelaram conscientemente para a comédia do rádio, nascida nos mambembes do interior e do subúrbio, já era tarde.

A animação provocada pela tentativa industrial foi, porém, positiva e o seu fracasso não alterou a ascensão quantitativa e qualitativa do filme brasileiro. A marginalização de nosso filme de enredo não era mais, como antigamente, um fenômeno aparentemente tão natural que ninguém tomava conhecimento dele a não ser os diretamente interessados. O fato de setores ponderáveis da área ocupada terem se chamuscado com o cinema nacional fez dele um assunto mais sensibilizante. Sua mediocridade não impedia sua função e não escondia sua presença. As ocasionais e paternalistas medidas de amparo do poder público começaram a ser cobradas com exigência crescente. Mais de uma vez o governo forneceu a ilusão de que estava sendo delineada uma política cinematográfica brasileira, mas a situação básica nunca se alterou. O mercado permaneceu ocupado pelo estrangeiro, de cujos interesses o nosso comércio cinematográfico é, no conjunto, o representante direto. A ação governamental, pressionada pelo desejo de lucro dos produtores brasileiros, representando na circunstância o interesse dos ocupados, se limitou sempre a procurar obter junto aos ocupantes estrangeiros e nacionais uma pequena reserva de mercado para o produto local. Como a solidariedade fundamental do poder público é com o ocupante, do qual emana, é claro que a pressão do último sempre foi decisiva. Mesmo depois de o cinema ter perdido em favor da televisão a predominância no campo do entretenimento, não se alterou substancialmente o escandaloso desequilíbrio entre o interesse nacional e o estrangeiro. De qualquer maneira, a concessão, por mais modesta que fosse, assegurou um respiradouro para o nosso cinema de ficção. A habitual impregnação estrangeira não impediu que os filmes continuassem nos refletindo muito. A voga do neorrealismo, logo após o término da guerra, teve consequências extremamente frutuosas para nós. Aconteceu que o difuso sentimento socialista, que se alastrou a partir do fim dos anos 1940, envolveu muita gente de cinema e particularmente as personalidades mais criativas surgidas após o malogro do surto industrial em São Paulo. O próprio comunismo político, ortodoxo e estreito, acabou tendo uma função cultural na medida em que por um lado procurava, mesmo desajeitadamente, compreender a vivência dos ocupados, e por outro encorajava a leitura de grandes escritores membros ou simpatizantes do partido: Jorge Amado, Graciliano Ramos ou Monteiro Lobato. Esse clima intelectual e mais a prática do método neorrealista conduziram à realização de alguns filmes do Rio e São Paulo que glosavam artisticamente a vida popular urbana. O antigo herói desocupado da chanchada foi suplantado pelo trabalhador, mas nos espetáculos cinematográficos que essas fitas proporcionavam os ocupados estavam muito mais presentes na tela do que na sala. Em matéria de construção dramática consistente e eficaz, essas obras deixaram longe não só a tenaz chanchada carioca, mas também os produtos mais ou menos diretos da efêmera industrialização paulista. No terreno das ideias, a contribuição que trouxeram foi ainda maior. Sem serem propriamente políticas ou didáticas, essas fitas exprimiam uma consciência social corrente na literatura pós-modernista, mas inédita em nosso cinema. Além de um vasto elenco de méritos intrínsecos, esses poucos filmes realizados por dois ou três diretores constituíram o tronco poderoso do qual se esgalhou o Cinema Novo.

O Cinema Novo é, depois da bela época e da chanchada, o terceiro acontecimento global de importância na história de nosso cinema, cabendo notar que apenas o segundo teve um desenvolvimento harmonioso, devido a sua melhor adequação e submissão à condição geral do subdesenvolvimento. Como o da bela época, o Cinema Novo viveu uma meia dúzia de anos, sendo que ambos tiveram o seu destino truncado, o primeiro pela pressão econômica do império estrangeiro, o segundo pela imposição política interna. Apesar da diversidade de circunstâncias, o que sucedeu a um e outro se insere no quadro geral da ocupação. O Cinema Novo é parte de uma corrente mais larga e profunda que se exprimiu igualmente através da música, do teatro, das ciências sociais e da literatura. Essa corrente — composta de espíritos chegados a uma luminosa maturidade e enriquecida pela explosão ininterrupta de jovens talentos — foi por sua vez a expressão cultural mais requintada de um amplíssimo fenômeno histórico nacional. Tudo ainda está muito perto de nós, nenhum jogo fundamental foi feito ou desfeito, e os dias que correm não facilitam a procura de uma perspectiva equilibrada sobre o que aconteceu. Resta a possibilidade de uma visão genérica em termos de ocupado e ocupante que nos aproxime da significação do Cinema Novo no processo.

Qualquer estatística de variada origem que a imprensa divulga confirma o que percebe a intuição ética a respeito da deformidade do corpo social brasileiro. Toda a vida nacional em termos de produção e consumo que possam ser definidos envolve apenas trinta por cento da população. A força produtora urbana e rural com identidade nítida, os estratos medianos em sua complexa graduação, as massas dos comícios de antigamente e que hoje só o futebol é autorizado a estruturar, tudo está englobado na minoria hoje de 30 milhões, o único povo brasileiro a respeito do qual alcançamos um conceito e sobre o qual podemos pensar. A impressão que se tem é a de que o ocupante só utiliza uma parcela pequena de ocupados e abandona o resto ao deus-dará em reservas e quilombos de novo tipo. Esse resto, hoje de 70 milhões, vai fornecendo a conta-gotas o reforço de que o ocupante lança mão para certas atividades como, por exemplo, a construção de Brasília ou a interminável reconstrução do monstro urbano paulistano, a face mais progressista de nosso subdesenvolvimento. Nessas ocasiões, as poucas centenas de milhares que escapam ao universo informe das muitas dezenas de milhões adquirem uma identidade: candango ou baiano.

Foi precisamente de iniciativas governamentais na segunda metade dos anos 1950 que surgiu a procura de um melhor equilíbrio nacional. O ocupante sem imaginação libelou contra a animação social que daí decorreu com um slogan: "A subversão em marcha". É possível que o próprio ocupante otimista, desejoso de ver integrados à nação os setenta por cento de marginais, não atinasse para a singularidade da situação criada. O fenômeno brasileiro é daqueles cuja originalidade está a exigir uma expressão nova. À palavra subversão, tacanha e em última análise ingênua, pode ser oposta a noção de "superversão", que resume com maior probidade as ocorrências que se desenvolveram até meados de 1964. A realidade que então se impôs foi a de que os verdadeiros marginais são os trinta por cento selecionados para constituir a nação. O estabelecimento de canais comunicantes entre essa minoria e o universo imenso dos restantes estava a exigir o deslocamento dos eixos habituais da história brasileira. Um primeiro passo consistia em encorajar o descobrimento ativo por parte de todos do que possa ser a vida humana. O poder público participou da nobre esperança — notadamente através de um método de alfabetização cuja prática chegou a ser delineada — que impregnou até uma mensagem presidencial, documento que por esse motivo será um dia um dos clássicos da democracia brasileira. O setor artístico jovem, inseparável do público intelectual igualmente jovem que suscitou, foi sem dúvida o que melhor refletiu o clima criativo e generoso então reinante, inclusive através de obras dotadas de valores permanentes. Nesse terreno foi grande o papel do cinema.

Os quadros de realização e, em boa parte, de absorção do Cinema Novo foram fornecidos pela juventude que tendeu a se dessolidarizar da sua origem ocupante em nome de um destino mais alto para o qual se sentia chamada. A aspiração dessa juventude foi a de ser ao mesmo tempo alavanca de deslocamento e um dos novos eixos em torno do qual passaria a girar a nossa história. Ela sentia-se representante dos interesses do ocupado e encarregada da função mediadora no alcance do equilíbrio social. Na realidade, esposou pouco o corpo brasileiro, permaneceu substancialmente ela própria, falando e agindo para si mesma. Essa delimitação ficou bem marcada no fenômeno do Cinema Novo. A homogeneidade social entre os responsáveis pelos filmes e o seu público nunca foi quebrada. Os espectadores da antiga chanchada ou os do cangaço quase não foram atingidos, e nenhum novo público potencial de ocupados chegou a se constituir. Apesar de ter escapado tão pouco ao seu círculo, a significação do Cinema Novo foi imensa: refletiu e criou uma imagem visual e sonora, contínua e coerente, da maioria absoluta do povo brasileiro disseminada nas reservas e quilombos, e por outro lado ignorou a fronteira entre o ocupado dos trinta e o dos setenta por cento. Tomado em conjunto, o Cinema Novo monta um universo uno e mítico integrado por sertão, favela, subúrbio, vilarejos do interior ou da praia, gafieira e estádio de futebol. Esse universo tendia a se expandir, a se complementar, a se organizar em modelo para a realidade, mas o processo foi interrompido em 1964. O Cinema Novo não morreu logo e em sua última fase — que se prolongou até o golpe de Estado que ocorreu no bojo do pronunciamento militar — voltou-se para si próprio, isto é, para seus realizadores e seu público, como que procurando entender a raiz de uma debilidade subitamente revelada, reflexão perplexa sobre o malogro acompanhada de fantasias guerrilheiras e anotações sobre o terror da tortura. Nunca alcançou a identificação desejada com o organismo social brasileiro, mas foi até o fim o termômetro fiel da juventude que aspirava ser a intérprete do ocupado.

Desintegrado o Cinema Novo, os seus principais participantes, agora órfãos de público catalisador, se dispersaram em carreiras individuais norteadas pelo temperamento e gosto de cada um, dentro do condicionamento estreito que envolve todos. Nenhum deles, porém, se instalou na falta de esperança que cercou a agonia desse cinema. A linha do desespero foi retomada por uma corrente que se opôs frontalmente ao que tinha sido o cinemanovismo e que se autodenominou, pelo menos em São Paulo, Cinema do Lixo. O novo surto deu-se na passagem dos anos 1960 para os 70 e durou aproximadamente três anos. A vintena de filmes produzidos se situou, com raras exceções, numa maior ou menor área de clandestinidade decorrente de uma opção fortalecida pelos obstáculos habituais do comércio e da censura. O Lixo não é claro como a bela época, a chanchada ou o Cinema Novo, onde se formou a maior parte de seus quadros. Estes poderiam, em outras circunstâncias, ter prolongado e rejuvenescido a ação do Cinema Novo, cujo universo e tema retomam em parte, mas agora em termos de aviltamento, sarcasmo e uma crueldade que nas melhores obras se torna quase insuportável pela neutra indiferença da abordagem. Conglomerado heterogêneo de artistas nervosos da cidade e de artesãos do subúrbio, o Lixo propõe um anarquismo sem qualquer rigor ou cultura anárquica e tende a transformar a plebe em ralé, o ocupado em lixo. Esse submundo degradado percorrido por cortejos grotescos, condenado ao absurdo, mutilado pelo crime, pelo sexo e pelo trabalho escravo, sem esperança ou contaminado pela falácia, é porém animado e remido por uma inarticulada cólera. O Lixo teve tempo, antes de perfazer sua vocação suicida, de produzir um timbre humano único no cinema nacional. Isolada na clandestinidade, essa última corrente de rebeldia cinematográfica compõe de certa forma um gráfico do desespero juvenil no último quinquênio. Não foi, porém, somente através do Lixo que o nosso filme se vinculou de maneira aguda às preocupações brasileiras do período. O setor documental com intenções culturais e didáticas reassumiu, num nível de consciência e realização mais alto, a função reveladora que o gênero desempenhara anteriormente. Focalizando, sobretudo, as formas arcaicas da vida nordestina e constituindo de certa forma o prolongamento, agora sereno e paciente, do enfoque cinemanovista, esses filmes documentam a nobreza intrínseca do ocupado e a sua competência. Quando se voltou para o cangaço esse cinema o evocou com a profundidade — só igualada num recente programa de televisão —[1] de que a melhor ficção fora incapaz.

Qualquer filme exprime ao seu jeito muito do tempo em que foi realizado. Boa parte da produção contemporânea participa alegremente do atual estágio de nosso subdesenvolvimento: o milagre brasileiro. Apesar de o ocupante permanecer desinteressado em relação ao nosso cinema,[2] a presente euforia dos donos do mundo encontra meios de se transmitir a muitos de nossos filmes. Ela se manifesta, sobretudo, em comédias ligeiras — também em um ou outro drama epidérmico — situadas quase sempre em invólucros coloridos e luxuosos que espumam prosperidade. O estilo é próximo dos documentais publicitários cheios de fartura, ornamentados por imagens fotogenicamente positivas do ocupado e pelo bamboleio amável de quadris nas praias da moda, combinados ao louvor de autoridades militares e civis. Essa simultanei-

---

1 Trata-se do programa *Confronto*, de Humberto Mesquita. Emissão da TV Gazeta, em julho de 1973. (N. A.)

2 A recíproca nunca foi verdadeira. O ocupante foi tratado, em geral, de maneira respeitosa pelo cinema mudo, foi gozado pela chanchada e fustigado pelo Cinema Novo, ao mesmo tempo que uma tendência nascida do malogro industrial paulista se interessava pelo tédio existencial do ocupante ocioso. (N. A.)

dade audiovisual um pouco insólita não significa que um setor qualquer do poder público tenha inspirado — dentro da fórmula de que hoje o circo complementar do pão é o sexo — o erotismo que irrompeu no cinema brasileiro de uns anos para cá. A ideia divertida infelizmente não é verdadeira; foi certamente propalada por espíritos desconfiados e insensatos, mas chegou a intrigar as altas esferas. Essa facilidade de circulação da tolice nos tempos que correm esclarece em todo caso a relutância oficial diante do condimento mais atraente que possui o espetáculo de um Brasil milagroso, com muito apetite e tendo como satisfazê-lo, morando bem e vestindo-se melhor, trabalhando pouco e sem problemas de locomoção. O erotismo desses filmes, apesar do afobamento, da vulgaridade ineficaz, da tendência autodestruidora em acentuar nos quadris, as nádegas, e no seio, a mama, é, com efeito, o que têm de mais verdadeiro, particularmente quando retratam a obsessão sexual da adolescência. De qualquer maneira, e apesar de tudo, vão essas fitas cumprindo bem a missão de tentar substituir o produto estrangeiro. Não obstante a proliferação, constituem elas apenas uma parte da centena de filmes brasileiros produzidos anualmente dentro do tecido habitual de embaraços, ainda intato, criado pelos interesses das metrópoles.

O leque extremamente variado de produtos que o cinema nacional de hoje propõe ao mercado confirma a sua vocação em exprimir e satisfazer a complexa graduação de nossa cultura. Se a chanchada e parcialmente o melodrama foram aspirados pela televisão, o filme caipira não perdeu vigor nas cidades grandes e pequenas. Estas últimas alentam dramas e comédias associados a cantores sertanejos e outros filmes sentimentais de diversa natureza que percorrem quase despercebidos os mercados mais densos. A safra atual de aventuras rurais derivada do cangaço é vista exclusivamente no interior ou, talvez, numa ou noutra capital menor. Um público difícil de definir e localizar exatamente assegura a continuidade de dramas psicológicos situados na esfera mais alta — a figura do ocupante não é encarnada apenas pelo frascário da comédia erótica —, ou procura espelhar a crise no relacionamento familiar e no comportamento social da população mediana. Filmes históricos nascem de uma superprodução faustosa ou de um empenho intelectual e artístico exemplar, e as duas categorias, tão discrepantes, têm função útil: a primeira fornece uma sucessão de cromos convencionais que correspondem, porém, a uma de nossas matrizes, a cultura cívica primária, enquanto a segunda suscita reflexão crítica a respeito do que fomos e somos. A autoridade pública encoraja uma com benevolência e recua vivamente diante da outra.

A legislação paternalista — promulgada para compensar a ocupação do mercado pelo estrangeiro — pode ter consequências econômicas de algum vulto, e a frequente retração governamental diante de nossos melhores filmes inclina os seus autores a buscar financiamento nas metrópoles culturais, onde adquiriram prestígio intelectual desde os tempos do Cinema Novo, em parte graças à moda do Terceiro Mundo nos países do Primeiro. Os melhores quadros de nosso cinema ainda derivam, com efeito, do cinemanovismo e de suas adjacências, ou mesmo dos precursores imediatos. A ruptura na natureza do processo criativo em que se envolveram, entre doze e dezoito anos atrás [1955-61], impediu qualquer amadurecimento coletivo. O salve-se quem puder ideológico e artístico iniciado em 1968 deslocou o eixo da criatividade, a crise individual substituindo a social e permitindo que quarentões vividos experimentassem uma nova juvenilidade. Os fragmentos da crença antiga foram manipulados e triturados pelo deus ou demônio íntimo de cada um, mas continuou fecundante a poeira da construção coletiva sonhada por todos. As obras individuais das maiores figuras que o cinema brasileiro já conheceu estão longe de ter sido com-

CINEMA: TRAJETÓRIA NO SUBDESENVOLVIMENTO 141

pletadas; elas continuam a se tecer diante de nossos olhos e seria prematuro tentar abarcá-las. A amizade teve papel importante na constituição do cinemanovismo e a permanência da camaradagem nascida na idade de ouro indicaria a persistência de uma comunhão cuja face nova ainda não se revelou. Há um clima nostálgico no moderno filme brasileiro de qualidade e é possível que esteja se delineando em torno do índio o sentimento nacional de remorso pelo holocausto do ocupado original. O que há de mais profundamente ético na cultura brasileira nunca cessará de dessoldar-se do ocupante. Cabe ainda sublinhar o fato de que o melhor cinema nacional não tem mais como antigamente um destinatário certo e assegurado. Seus autores defrontam um público não identificado, envolvido pela rede do comércio, e são constrangidos a conviver com a burocracia ocupante desconfiada, quando não hostil. A ocorrência de uma larga comunicação com os espectadores é por demais ocasional para dissipar o intrincado mal-estar em que se debatem. Nos piores momentos a alternativa para a opacidade é o vácuo. Nessas condições não é de espantar que na busca de reconhecimento se voltem para a cultura das metrópoles e com isso prejudiquem a nossa.

Se em determinado momento o Cinema Novo ficou órfão de público, a recíproca teve consequências ainda mais aflitivas. O núcleo de espectadores recrutados na intelligentsia — particularmente em seus setores juvenis — tendia por um lado a se ampliar socialmente, e por outro a se interessar por diferentes faces do filme brasileiro além da cinemanovista. A deterioração da conjuntura estimulante dos inícios de 1960 fez com que o público intelectual que corresponde hoje ao daquele tempo se encontre órfão de cinema brasileiro e voltado inteiramente para o estrangeiro, onde julga às vezes descobrir alimento para sua inconfidência cultural. Na realidade, ele encontra apenas uma compensação falaciosa, uma diversão que o impede de assumir a frustração, primeiro passo para ultrapassá--la. Rejeitando uma mediocridade, com a qual possui vínculos profundos, em favor de uma qualidade importada das metrópoles, com as quais tem pouco o que ver, esse público exala uma passividade que é a própria negação da independência a que aspira. Dar as costas ao cinema brasileiro é uma forma de cansaço diante da problemática do ocupado e indica um dos caminhos de reinstalação na ótica do ocupante. A esterilidade do conforto intelectual e artístico que o filme estrangeiro prodiga faz da parcela de público que nos interessa uma aristocracia do nada, uma entidade em suma muito mais subdesenvolvida do que o cinema brasileiro que desertou. Não há nada a fazer a não ser constatar. Este setor de espectadores nunca encontrará em seu corpo músculos para sair da passividade, assim como o cinema brasileiro não possui força própria para escapar ao subdesenvolvimento. Ambos dependem da reanimação sem milagre da vida brasileira e se reencontrarão no processo cultural que daí nascerá.

1973

Contra fato há argumento

A natureza social tem horror ao vácuo cultural e tende a preenchê-lo de uma forma ou de outra. Uma das formas de fazê-lo é utilizando a dependência, a acomodação, o arrivismo.

A nossa pretende ser a outra forma, a que se definirá no percurso de nosso grupo. Este é vário na idade e na preocupação, mas se unifica no entendimento em criar um veículo novo para o que há de vivo, válido e independente na circunstância cultural brasileira; e um ponto de encontro com o pensamento de outras terras, notadamente as do continente.

Os obstáculos que eventualmente encontrarmos e os estímulos que recebermos serão igualmente indicativos da utilidade de nossa função. Muito intelectual brasileiro foi arrancado de seu mundo, e é preciso que encontre um terreno onde possa novamente se enraizar. A limitação de nosso campo poderá ainda ser restringida, mas sempre haverá um papel a ser cumprido pelo intelectual que resolva sair da perplexidade e se recuse a cair no desespero.

Nascemos sem ilusões e não está em nosso programa nutri-las. A independência custa caro e não encoraja as subvenções. Não temos propriamente o que vender, mas nos achamos em condições de propor um esforço de lucidez. Esta não é artigo de luxo ou de consumo fácil, mas em qualquer tempo é alimento indispensável pelo menos para alguns. Sua raridade é, aliás, sempre provisória; tudo que a lucidez revela tende a se transformar em óbvio.

Contra fato há argumento.

1973

Fontes dos textos

"Introdução bastante pessoal". *O Estado de S. Paulo*, São Paulo, Suplemento Literário, 28 out. 1961. Publicado em *Crítica de cinema no Suplemento Literário*. Rio de Janeiro: Paz e Terra; Embrafilme, 1982, v. 2, pp. 357-62.

"O cineasta Maiakóvski". *O Estado de S. Paulo*, São Paulo, Suplemento Literário, 16 dez. 1961. Publicado em *Crítica de cinema no Suplemento Literário*. Rio de Janeiro: Paz e Terra; Embrafilme, 1982, v. 2, pp. 372-6.

"Revolução, cinema e amor". *O Estado de S. Paulo*, São Paulo, Suplemento Literário, 23 dez. 1961. Publicado em *Crítica de cinema no Suplemento Literário*. Rio de Janeiro: Paz e Terra; Embrafilme, 1982, v. 2, pp. 377-82.

"*Potemkin* e *Outubro*". *O Estado de S. Paulo*, São Paulo, Suplemento Literário, 20 jan. 1962. Publicado em *Crítica de cinema no Suplemento Literário*. Rio de Janeiro: Paz e Terra; Embrafilme, 1982, v. 2, pp. 394-400.

"Ideologia de *Metrópolis*". *O Estado de S. Paulo*, São Paulo, Suplemento Literário, 14 fev. 1959. Publicado em *Crítica de cinema no Suplemento Literário*. Rio de Janeiro: Paz e Terra; Embrafilme, 1982, v. 2, pp. 6-11.

146 CINEMA E POLÍTICA

"*O moleque Ricardo* e a Aliança Nacional Libertadora".
A Plateia, São Paulo, 21 set. 1935; *A Manhã*, Rio de Janeiro, 21 set. 1935. Publicado em *Paulo Emílio: Um intelectual na linha de frente*. São Paulo: Brasiliense; Rio de
Janeiro: Embrafilme, 1986, pp. 35-7.

"Bilhetinho a Paulo Emílio, por Oswald de Andrade". *A
Plateia*, São Paulo, 25 set. 1935. Publicado em *Paulo Emílio: Um intelectual na linha de frente*. São Paulo: Brasiliense; Rio de Janeiro: Embrafilme, 1986, pp. 37-40.

"Um discípulo de Oswald em 1935". *O Estado de S.
Paulo*, São Paulo, Suplemento Literário, 24 out. 1964.
Publicado em *Crítica de cinema no Suplemento Literário*. Rio de Janeiro: Paz e Terra; Embrafilme, 1982, v. 2,
pp. 440-6.

"Anarquismo e cinema". *O Estado de S. Paulo*, São Paulo, Suplemento Literário, 30 dez. 1961. Publicado em *Crítica de cinema no Suplemento Literário*. Rio de Janeiro:
Paz e Terra; Embrafilme, 1982, v. 2, pp. 383-9.

"Renoir e a Frente Popular". *O Estado de S. Paulo*, São
Paulo, Suplemento Literário, 24 maio 1958. Publicado em
Crítica de cinema no Suplemento Literário. Rio de Janei-
ro: Paz e Terra; Embrafilme, 1982, v. 1, pp. 330-3, e em
O cinema no século. São Paulo: Companhia das Letras,
2015, pp. 419-23.

"Manifesto da União Democrática Socialista (UDS)".
Publicado em *Paulo Emílio: Um intelectual na linha de
frente*. São Paulo: Brasiliense; Rio de Janeiro: Embrafilme, 1986, pp. 96-107.

"Paulo Emílio: O intelectual e a política na redemocratização de 1945". *Revista de Cultura Contemporânea*, v. 1,

n. 2, pp. 93-8, jan. 1979. Entrevista a Maria Victoria Benevides.

"O tempo do pessimismo". *O Estado de S. Paulo*, São Paulo, Suplemento Literário, 1 maio 1957. Publicado em *Crítica de cinema no Suplemento Literário*. Rio de Janeiro: Paz e Terra; Embrafilme, 1982, v. 1, pp. 120-3.

"Carl Foreman e o medo". *O Estado de S. Paulo*, São Paulo, Suplemento Literário, 6 set. 1958. Publicado em *Crítica de cinema no Suplemento Literário*. Rio de Janeiro: Paz e Terra; Embrafilme, 1982, v. 1, pp. 403-6.

"*Go home, Tarzan!*". *Brasil Urgente*, São Paulo, abr. 1963.

"A nossa desimportância". 1964. Manuscrito inédito. Fundo Paulo Emílio, Cinemateca Brasileira (BR CB PE/PI. 0208). Título atribuído pelo organizador.

"*A chinesa*". *A Gazeta*, São Paulo, 1 jun. 1968. Publicado em *Paulo Emílio: Um intelectual na linha de frente*. São Paulo: Brasiliense; Rio de Janeiro: Embrafilme, 1986, pp. 254-5.

"Amigos e amigos". *A Gazeta*, São Paulo, 23 set. 1968. Publicado em *Paulo Emílio: Um intelectual na linha de frente*. São Paulo: Brasiliense; Rio de Janeiro: Embrafilme, 1986, pp. 260-1.

"Cinema: Trajetória no subdesenvolvimento". *Argumento*, São Paulo, n. 1, out. 1973. Publicado em *Cinema: Trajetória no subdesenvolvimento*. Rio de Janeiro: Paz e Terra; Embrafilme, 1986, pp. 81-101; e em *Uma situação colonial?* São Paulo: Companhia das Letras, 2016, pp. 186-205.

"Contra fato há argumento". Texto não assinado de apresentação da revista mensal de cultura *Argumento*, São Paulo, n. 1, out. 1973. Publicado em *Paulo Emílio: Um intelectual na linha de frente*. São Paulo: Brasiliense; Rio de Janeiro: Embrafilme, 1986, p. 108.